GONG HY PHOT TCHOY

Soulevez le voile de l'inconnu

Margarete Ward

GONG HY
PHOT TCHOY

**Méthode unique et simplifiée de tirage de cartes
pour prédire l'avenir**

Titre original
Gong Hee Fot Choy
Publié selon une entente avec
Ten Speed Press/Celestial Arts

Édition française
Mortagne
Case postale 116
Boucherville (Québec)
J4B 5E6

Distribution
Tél.: (450) 641-2387
Télec.: (450) 655-6092
Courriel : edm@editionsdemortagne.qc.ca

Illustration de la couverture
Concept Arts

Illustration de la planche de jeu
Colleen Martin

Dépôt légal
Bibliothèque nationale du Canada
Bibliothèque nationale du Québec
4ᵉ trimestre 1989

ISBN: 2-89074-306-3

11 12 13 14 15 – 89 – 04 03 02 01 00

Imprimé au Canada

TABLE DES MATIÈRES

INTRODUCTION

Rien ne permet d'affirmer que la souffrance humaine démontre une intention divine. Croire que nous sommes sur cette planète si généreuse pour en profiter et acquérir de nouvelles connaissances dénote un comportement tout aussi sain et intelligent que croire qu'il faille souffrir pour gagner un éventuel paradis. La souffrance n'engendre pas la bonté ni l'intelligence ni même la beauté. Selon le GONG HY PHOT TCHOY, on peut dire que la vie est à trois contre un en faveur du bonheur et de la joie. Le fait d'avoir du succès lorsque l'on veut obtenir ce que l'on désire ardemment dépend en grande partie de notre habileté à pouvoir concentrer nos efforts sur l'objet ou l'effet désiré et de croire que nous avons en chacun de nous le pouvoir de matérialiser nos pensées.

Nous sommes tous avides de savoir ce que l'avenir nous réserve; étant curieux de nature, nous voulons soulever le voile de l'inconnu. J'ai beaucoup voyagé; j'ai fait le tour du monde plusieurs fois. Comme j'ai toujours été intéressée par les «diseuses de bonne aventure», j'ai consulté des voyants, des tireurs et des tireuses de cartes de tout acabit, des devins et des mystiques de nombreux pays. J'ai étudié leur méthode et les mythes qui entouraient leur art. Une des études les plus intéressantes que j'ai faites dans ce domaine fut celle touchant l'art de la divination telle qu'on la pratique en Chine, cet océan immense d'anciennes connaissances mystiques. C'est à travers ces multiples expériences et observations que j'ai finalement pu élaborer ce jeu du GONG HY PHOT TCHOY qui signifie en chinois «portes ouvertes sur l'abondance». L'inspiration de faire un livre m'est venue après avoir été constamment sollicitée par mes amis qui voulaient que je leur lise l'avenir dans les cartes. Ceci je l'ai fait tant et tant de fois! Matin, midi et soir, des journées entières, au point où la demande devint si grande que, pour rendre justice à tous et à toutes, je décidai de mettre ma méthode à la disposition non plus seulement de mes intimes mais du grand public. C'est donc ainsi que naquit le GONG HY PHOT TCHOY.

Le pouvoir de posséder ce que l'on désire réside en nous-mêmes. Nous devons nous concentrer sur ce que nous voulons et non pas nous inquiéter ou nous agiter inutilement. Très peu d'entre nous savent se concentrer sur ce qu'ils veulent et encore moins se rendent compte qu'il y a une énorme différence entre la concentration et l'inquiétude. Je dirais même que la concentration et l'inquiétude sont deux attitudes mentales diamétralement opposées. Mes amis, voyant que je réussis tout ce que j'entreprends, me demandent souvent: «Pourquoi est-ce que tu retires tant de la vie alors que je dois travailler si dur pour obtenir si peu?» Bien sûr, il va de soi que cela me fait de la peine et je m'empresse alors de les aider à démêler les fils de leur existence.

Avec la méthode du GONG HY PHOT TCHOY, je pense offrir à tous ceux et à toutes celles qui voudront la suivre, un outil de concentration infaillible qui leur permettra de découvrir la route qui mène à une vie meilleure et enrichissante. Ceci a été prouvé tout au cours des années pendant lesquelles j'ai utilisé le GONG HY PHOT TCHOY pour me guider et guider les autres. C'est durant mes longs séjours en Chine que j'ai découvert la signification de l'amour fraternel et de l'amitié. J'y ai rencontré des gens merveilleux, remplis de simplicité et de sagesse. Si j'ai baptisé ce jeu le GONG HY PHOT TCHOY (portes ouvertes sur l'abondance), c'est en humble gage d'amour et de reconnaissance envers mes amis chinois.

Afin de rendre ce jeu le plus clair possible, j'ai extrait ce qui m'a semblé le meilleur et le plus pertinent de toutes les techniques qui m'ont été inculquées; si bien que **cette méthode peut être considérée comme entièrement nouvelle et différente de toute autre.**

MÉTHODE D'UTILISATION

Lisez ces instructions attentivement et jusqu'au bout avant de commencer
à travailler avec le GONG HY PHOT TCHOY.

Depuis la première parution de ce livre en 1935, je me suis aperçue que le public était absolument fasciné par le langage des cartes et qu'il voulait toujours en savoir davantage sur ce système d'interprétation nouveau et si différent; je me suis donc décidée à l'expliquer plus à fond dans cette édition. Il faut bien se rappeler que les cartes et la planche ne sont que des outils pour nous aider à nous concentrer. Ce ne sont que des représentations symboliques de nos proches, des situations et des événements qui meublent le théâtre de notre vie dont nous sommes l'acteur principal.

Ce jeu comprend le livre et la planche illustrée de 32 cases. On utilisera un jeu de cartes à jouer «ordinaire» duquel on aura retiré les six, les cinq, les quatre, les trois, les deux et les fous (jokers). Notez qu'il ne reste alors que 32 cartes et qu'il y a très précisément 32 «maisons» à occuper sur la planche. (J'ai utilisé quatre semaines, illustrant ainsi les 28 jours du mois lunaire afin de représenter le temps qui passe et que j'ai transposé dans 28 maisons; j'en ai ajouté quatre: celles de l'ORIENTATION, de la LUNE, des SAISONS et du SOLEIL; ce qui fait au total 32 maisons pour les 32 cartes.)

Dépliez la planche devant vous, battez les cartes et faites un vœu. Ne coupez pas les cartes, car cela risquerait de rompre le flot continu de pensées et de modifier le déroulement de la lecture. Une fois battues, placez les cartes sur les cases, les unes après les autres dans l'ordre où elles se présentent, en commençant par la première case en haut à gauche et en allant vers la droite, jusqu'à ce qu'elles soient toutes recouvertes.

LA MAISON DE L'ORIENTATION apparaît la première sur la planche. Elle représente la distance, la pensée, ainsi que les bonnes vibrations qui vous entourent. Les idées sont des vibrations qui voyagent telles des ondes radiophoniques et chacun de nous possède en lui un appareil émetteur-récepteur en parfait état de marche. Cette maison vous indique d'où proviennent ces vibrations et vous aidera à vous brancher pour recevoir et comprendre, en vous concentrant, les messages envoyés lors de la consultation du GHPT[1].

La maison suivante représente LA MAISON DES DÉSIRS. Vous retrouverez dans le livre, pour chacune des maisons, la définition de chaque carte selon sa couleur respective. Retournez maintenant la carte sur la planche en recouvrant la case de LA MAISON DES DÉSIRS. Après l'avoir identifiée, ouvrez le livre à la page de LA MAISON DES DÉSIRS et vous obtiendrez alors sa signification lorsqu'elle est placée sur cette case. Chaque maison est divisée en quatre sections: cœur, carreau, trèfle et pique. Si vous recevez, dans la MAISON DES DÉSIRS, un message qui semble ne pas coïncider avec votre vœu ou qui a l'air totalement étranger à vos préoccupations actuelles, ne le prenez pas à la légère et surtout ne concluez pas qu'il ne s'applique pas à votre vœu. Rappelez-vous que vous n'en savez que très peu sur les conditions, les circonstances ou les influences qui évoluent constamment et qui régissent votre vie. C'est pourquoi, lorsque vous recevez, dans LA MAISON DES DÉSIRS, un message que vous ne comprenez pas, ceci indique que vous devriez justement y attacher une attention toute particulière.

La carte qui apparaît dans LA MAISON DES DÉSIRS donne les conditions ou les circonstances qui influencent votre vœu. Vérifiez toujours soigneusement le message contenu dans la carte recouvrant la maison. Voici un exemple: Si le sept de carreau occupe LA MAISON DES DÉSIRS, cette carte représente le succès. Allez donc vérifier le message contenu dans LA MAISON DU SUCCÈS, car il complétera indirectement ou même très clairement de quelle manière ou à quelle condition votre vœu pourra être exaucé. Un pique dans LA MAISON DES DÉSIRS prédit l'apparition d'une situation ou d'une influence contraire qui peut être causée par de nombreuses circonstances, telles que la jalousie, l'envie, la haine, ou des conditions financières défavorables. Les piques annoncent tout ce qui a une connotation désagréable comme la tristesse,

---

1.   GHPT: Abréviation de *Gong Hy Phot Tchoy*.

l'inquiétude, la maladie, les ennuis de toute sorte, les intrigues, la mort, pour n'en nommer que quelques-uns. N'oubliez pas toutefois que ce qui est désagréable n'est pas pour autant négatif.

Après avoir lu le message dans LA MAISON DES DÉSIRS, concentrez-vous sur les choses et les gens qui vous entourent et regardez si le message les concerne. Si vous pensez que non ou s'il vous semble très vague, souvenez-vous que des forces extérieures – qui vous paraissent tout à fait inconnues – peuvent très bien influencer votre vœu. Gardez bien présent à l'esprit votre but ou votre souhait, visualisez clairement ce que vous désirez comme si cette chose ou ce but était déjà vôtre. Écrivez le message que vous apporte le GHPT afin de vous y référer au cours des semaines à venir; très souvent, un message sans signification apparente, sur le moment, prend tout son sens avec le temps.

Pour lire les cartes des maisons suivantes, utilisez le même procédé:

MAISON DE LA RÉUSSITE: Si une carte favorable figure sur cette maison, ne tenez pas pour acquis la réussite en toute chose.

MAISON DE LA LUNE: La lune parle aux amoureux en mots mystérieux. Elle influence notre destin tout au long de notre vie par l'entremise de ceux qui nous aiment et que nous aimons. Soyez conscients qu'elle a une influence de premier plan sur la destinée mondiale.

MAISON DES SAISONS: Cette maison représente le temps qui passe. La reine de carreau lui sert de représentante spirituelle. Elle couvre une saison complète, c'est-à-dire trois mois. On pourra aussi, quand le besoin s'en fera sentir, voir dans la reine de carreau une personne âgée ou un guide spirituel. Ceci est d'ailleurs vrai pour toutes les cartes majeures, rois, reines, valets. Ces personnages peuvent aussi jouer le rôle d'une personne de l'entourage.

MAISON DE LA CHANCE: Si un pique recouvre la maison de la chance (ou toute autre maison que vous jugez importante à cette étape de votre vie), cela ne signifie pas forcément que vous n'aurez pas de chance. Un pique dans cette maison peut simplement vouloir dire qu'à une période de votre vie il y a eu, il y a ou il y aura un événement désagréable, tel qu'une contrariété amoureuse ou des ennuis familiaux ou professionnels. Mais qui vous dit que tandis que vous frappez aux portes à la recherche d'un emploi, vous ne découvrirez pas l'âme sœur ou un billet de loterie gagnant? C'est cela la chance!

MAISON DU SOLEIL: La maison du soleil constitue la dernière maison sur la planche. C'est la maison de la pensée à l'état pur. Le soleil nous apporte la lumière tout comme l'aura, cette émanation invisible, émet des vibrations qui touchent tous nos proches.

LA REINE DE TRÈFLE: Elle représente toujours le consultant ou la consultante, il n'y a pas de différence. LA MAISON DU CONSULTANT est reliée à cette carte. Il est essentiel de se souvenir de cela en interprétant le jeu.

En lisant votre avenir, essayez de faire coïncider les conditions actuelles de votre vie avec celles indiquées par les cartes. Gardez à l'esprit vos paramètres tels qu'ils se présentent au moment de la consultation.

Quand les piques vous préviennent d'un danger imminent, soyez sur vos gardes. Ceci s'applique autant à votre avenir financier, amoureux, professionnel qu'à votre santé physique ou mentale. Puisque chaque personne est unique, il est difficile, voire impossible, pour un livre de ce type de rendre compte objectivement des multiples facettes que renferme ce jeu. Mais en gardant à l'esprit ce qui vous touche le plus au moment de la consultation, vous serez en mesure de comprendre clairement ce que les cartes tentent plus particulièrement de vous révéler.

Attendez-vous aussi à recevoir certains messages qu'il vous sera impossible de comprendre. Ceci s'applique plus particulièrement aux personnes dépendantes, financièrement ou autre. Par exemple, s'il est question d'argent, le message s'appliquera plus précisément à la personne ou aux personnes qui sont la source de votre bien-être financier. Les jeunes, en particulier, reçoivent souvent des messages concernant l'avoir de leurs parents ou de leurs tuteurs, des messages qui les toucheront indirectement, il va sans dire. Le GHPT va fouiller très loin dans nos affaires courantes, ce que les Chinois appellent communément la «source de notre riz», mais que nous traduirions plutôt par la personne responsable de notre bien-être. Par conséquent, si nous ne comprenons pas immédiatement certains messages, il est fort possible que celui ou celle qui assure notre bien-être en saisisse toutes les nuances, et ce bien mieux que nous.

Le but que je me propose, en vous présentant ce jeu, chers lecteurs, est de vous insuffler l'art de vous concentrer, puisque la concentration devient un outil privilégié grâce auquel nous pouvons obtenir tout ce que nous désirons. Nous n'avons qu'à tendre la main pour le saisir. À l'opposé, l'inquiétude apparaît comme de la confusion, la confusion comme des pensées mal dirigées et la pensée mal dirigée comme de l'énergie perdue. Il est donc indispensable que vous sachiez ce que vous voulez ou ce dont vous avez besoin et que vous dirigiez vos pensées vers ce but.

Ne consultez le GHPT qu'une fois par semaine. Le consulter plus souvent aurait pour conséquence de distraire votre pouvoir de concentration. Ne consultez pas le GHPT à la légère ou à la sauvette en vous attendant à des résultats satisfaisants, il n'en sera rien.

Si vous voulez exprimer un vœu ou demander quelque chose de précis entre les consultations régulières, battez les cartes comme pour un tirage complet et disposez-les sur la planche comme si vous vous apprêtiez à lire votre avenir. Cependant, contentez-vous de ne lire que le message contenu dans LA MAISON DES DÉSIRS et suivez les indications reliées à la carte qui la recouvre afin d'obtenir la réponse à votre vœu.

Si vous consacrez quelque temps à étudier la signification des cartes se trouvant dans LA MAISON DES DÉSIRS (décrite dans le présent ouvrage aux pages 18 et 19), vous pourriez très vite devenir expert dans l'art de déchiffrer le symbolisme des cartes.

N.B.: Comme je l'ai déjà mentionné, toutes les cartes sont répertoriées (selon un ordre de grandeur décroissant de l'as au sept) pour chaque maison de la planche et leurs définitions apparaissent sous chacune des maisons, selon leur couleur respective (cœur, carreau, trèfle et pique). Par exemple, si l'as de cœur occupe LA MAISON DE L'ORIENTA-TION, référez-vous à la page 16 où apparaît la description de cette maison. La première colonne donne toutes les définitions de la SUITE DE CŒUR; la première de toutes concerne justement l'as de cœur... c'est de cette manière qu'il faudra procéder pour toutes les cases du jeu! Comme l'espace disponible dans cet ouvrage est restreint, je ne peux vous révéler les multiples significations de chaque carte. Analysez le message, lisez-le dans son sens le plus large. Adaptez-y un sens selon ce qui se passe dans votre vie au moment de la lecture.

Je voudrais cependant analyser l'as de cœur (qui s'appelle aussi *le foyer* dans ce jeu) pour vous donner un aperçu de ce que vous pourriez tirer de l'interprétation des cartes. Il représente l'endroit où l'on vit. Cela peut être une pension de famille, une cabane au fond des bois, un hôtel ou un palace, ou tout autre endroit où vous passez le plus clair de votre temps; ainsi si vos activités professionnelles occupent presque tout votre temps, votre bureau pourrait alors être considéré comme votre maison; pour l'artisan ou l'artiste, son atelier, si c'est là qu'il vit continuellement, sera pris comme son foyer plutôt que la chambre où il se retire pour se changer et dormir.

Je n'insisterai jamais assez sur le fait qu'il faille donner à chaque carte autant d'interprétations que possible et ne pas hésiter à les adapter selon notre réalité actuelle. Restez ouvert aux différentes manières d'aborder une idée centrale. La naissance d'un enfant, par exemple, pourrait appa-raître comme un événement joyeux, une occasion de célébrer ou, au contraire dans certains cas, être perçue comme une catastrophe.

Vérifiez toujours l'enchaînement (le déroulement) d'un événement avant de lire les cartes. Vérifiez aussi les couleurs pour voir si certaines sont placées les unes à côté des autres ou selon une séquence particulière. (Où sont les carreaux, les cœurs, etc.?) Plusieurs cartes d'une même couleur situées les unes à côté des autres ajoutent de la force aux cartes les entourant et pourraient modifier considérablement la signification que vous leur donnez. Un pique qui annonce habituellement les déboires de la vie peut être sensiblement atténué s'il est entouré de cœurs...

Les **cœurs** représentent l'**amour**, l'**amitié** et tout ce qui est de nature personnelle.

Les **carreaux** représentent l'**argent**, l'**abondance matérielle** et les **do-cuments juridiques** de toute sorte.

Les **trèfles** représentent la **chance**, la **sagesse** et les **affaires**.

Les **piques** représentent les **choses désagréables** de notre vie.

SIGNIFICATION DES SÉQUENCES

4 AS:	Indiquent un grand changement dans votre vie.
3 AS:	Les problèmes vont s'estomper.
4 ROIS:	De bonnes choses vont arriver.
3 ROIS:	Apportent de bonnes nouvelles.
4 DAMES:	Annoncent des visiteurs.
3 DAMES:	Laissent entrevoir une dispute entre amis.
4 VALETS:	Un parent revient de loin.
3 VALETS:	Un ami refait surface.
4 DIX:	Laissent présager de la chance en argent.
3 DIX:	Un changement d'amis est à prévoir.
4 NEUF:	Possibilité d'une nouvelle entreprise.
3 NEUF:	Une célébration en perspective.
4 HUIT:	Voyage, changement de statut.
3 HUIT:	Un changement d'activités professionnelles est à envisager.
4 SEPT:	Indique une intrigue, une contrariété ou une opposition.
3 SEPT:	Tristesse.

MANIÈRE DE PROCÉDER

Placez d'abord la planche sur une table et concentrez-vous sur ce que vous souhaitez voir arriver dans un proche avenir: visite d'un ami cher, réussite à un examen, guérison d'une maladie ou encore promotion. Battez les cartes en vous recueillant (il est souvent plus facile de se recueillir en fermant les yeux, car on se ferme ainsi aux nombreuses stimulations extérieures susceptibles de nous distraire). Continuez à battre les cartes jusqu'à ce que vous sentiez que vous ne faites qu'un avec votre souhait le plus cher. Quand vous êtes prêt, commencez à placer les cartes, les unes après les autres, sur la planche en respectant l'ordre de gauche à droite et de haut en bas. Commencez par la première carte sur LA MAISON DE L'ORIENTATION, la carte suivante sur LA MAISON DES DÉSIRS, couvrant ainsi toutes les maisons de la rangée du haut. Continuez de la même manière pour la deuxième rangée et ainsi de suite jusqu'à ce que toutes les maisons soient «habitées». Lisez le message contenu dans LA MAISON DE L'ORIENTATION comme indiqué aux pages 16 et 17 du présent ouvrage.

La prochaine maison à lire sur la planche est LA MAISON DES DÉSIRS. Vous trouverez l'interprétation du message aux pages 18 et 19. Continuez votre exploration jusqu'à LA MAISON DU SOLEIL.

Deux cartes de même couleur côte à côte ajoutent de la force au message. Si on juxtapose deux cartes semblables dont deux rouges et une noire, tout est pour le mieux. Deux noires et une rouge, on rencontrera des difficultés.

Plusieurs cœurs tombant les uns à côté des autres ajoutent une teinte heureuse au message. Plusieurs carreaux, c'est la réussite dans l'acquisition de biens matériels. Des trèfles ensemble et la vie professionnelle s'en trouve améliorée. Des piques, méfiez-vous de la maladie, des tracas de toute sorte, des accidents (suivant bien sûr l'endroit où se retrouve cette concentration de piques). Une séquence peut être formée si les cartes se touchent directement, horizontalement ou verticalement, mais aussi diagonalement.

Le GHPT prouve que la vie nous offre le bonheur à trois contre un. Si nous apprenons à nous concentrer de la bonne façon, nous sommes presque assurés d'arriver à nos fins. Par contre, lorsque par manque de concentration nous n'avons pas réussi à éviter le malheur, regardons-le bien en face, saisissons-le et rejetons-le de notre vie.

Consultez le GHPT une fois par semaine et apprenez à obtenir ce que vous désirez. Ne subissez plus votre destin, soyez-en le maître.

SCHÉMA DE LA SIGNIFICATION DES CARTES

	CŒUR	CARREAU	TRÈFLE	PIQUE
AS	foyer	nouveau projet	cadeau	mort
ROI	plaisir	documents juridiques	vocation	visiteur
REINE	amitié	saisons	consultant	gratitude
VALET	célébrité	lettres	famille	orientation
DIX	union	argent	voyages	soleil
NEUF	désir	surprises	chance	déceptions
HUIT	amour	héritage	consécration	problèmes
SEPT	bonheur	réussite	messages	santé

Notre esprit est la clé qui ouvre les portes du monde.
Il y a quelque chose en nous qui correspond à tout ce qui est
autour de nous, en dessous et au-dessus de nous.

Samuel McCord Crothers

MAISON DE L'ORIENTATION

LES CŒURS

AS DE CŒUR (FOYER): Dans la maison de l'orientation, cette carte signifie que quelqu'un pense à vous et voudrait être avec vous; ou elle annonce une nouvelle demeure pour vous.

ROI DE CŒUR (PLAISIR et BIEN-ÊTRE): Un programme à la radio vous apportera beaucoup de joie ou vous achèterez de nouveaux disques.

DAME DE CŒUR (AMITIÉ): Des amis ou des parents vous envoient des pensées d'amour. Quelqu'un pense à vous.

VALET DE CŒUR (CÉLÉBRITÉ): Si vous travaillez dans le domaine des arts et spectacles, vous passerez en ondes à la radio ou à la télévision. Si vous avez une autre profession, vous obtiendrez de la publicité dans les médias.

DIX DE CŒUR (MARIAGE et UNION): Si vous êtes dans le monde des affaires ou du commerce, vous allez vendre des articles importés; ou vous vous unirez avec d'autres pour former une chaîne de magasins; ou vous grouperez vos services.

NEUF DE CŒUR (DÉSIR et SOUHAIT): La matérialisation de votre désir vibre tout près de vous. Concentrez-vous sur ce que vous voulez et détendez-vous.

HUIT DE CŒUR (LUNE DE MIEL): Si vous êtes célibataire, un admirateur ou un amoureux pense à vous; ou quelqu'un qui est loin de vous vous envoie des pensées amicales. Si vous êtes libre, quelqu'un songe à vous comme compagnon.

SEPT DE CŒUR (BONHEUR): Vous devriez vous sentir heureux. Si du côté du cœur tout ne va pas comme vous le voudriez, ne vous découragez pas. Des jours meilleurs sont à venir.

LES CARREAUX

AS DE CARREAU (NOUVEAU PROJET): Les vibrations d'une nouvelle entreprise vous entourent. Détendez-vous, visualisez ce que vous désirez le plus faire et suivez l'idée qui vous vient; ou quelqu'un pense à vous pour l'aider. Un meilleur poste pourrait vous être offert.

ROI DE CARREAU (DOCUMENTS JURIDIQUES): De bonnes vibrations de santé et de guérison vous viennent de l'au-delà. De l'aide d'un spécialiste ayant quitté notre monde...

DAME DE CARREAU (SAISONS): Cette carte indique le temps qui passe. Dans cette maison, elle signifie que vos prières et vos vœux seront exaucés mais qu'il faudra du temps avant que vos désirs se matérialisent.

VALET DE CARREAU (LETTRES): Débarrassez-vous de vos idées mal dirigées comme le doute, l'échec, les délais, tout ce qui va à l'encontre de ce que vous désirez. Relaxez-vous toujours et dites-vous: «C'est la meilleure chose pour moi et je pourrais l'avoir.» Ne dites jamais que vous n'êtes pas capable de faire ceci ou cela, ne laissez pas des vibrations négatives vous envahir. Donnez-vous l'occasion d'essayer.

DIX DE CARREAU (ARGENT): Cette semaine, des vibrations monétaires vous entourent. Planifiez ces prochains jours pour augmenter votre revenu. L'atmosphère est bénéfique.

NEUF DE CARREAU (SURPRISES): Quelqu'un pense à vous et vous appellera ou vous rendra visite très prochainement.

HUIT DE CARREAU (HÉRITAGE): Vous recevrez une petite somme d'argent; ou quelqu'un songe à faire son testament en votre faveur. Des vibrations d'héritage sont dans l'air; vous allez recevoir quelque chose; un besoin sera comblé.

SEPT DE CARREAU (RÉUSSITE): Des vibrations de prospérité vous environnent. Utilisez-les pour accomplir les tâches que vous vous êtes assignées. Faites des plans et matérialisez-les.

MAISON DE L'ORIENTATION

LES TRÈFLES

AS DE TRÈFLE (CADEAU): Quelqu'un songe à vous offrir un présent. Il se demande ce qui vous ferait plaisir. Concentrez-vous sur ce que vous désirez recevoir et vos pensées seront captées.

ROI DE TRÈFLE (VOCATION): Il y a autour de vous des vibrations favorables pour améliorer votre style de vie sur le plan financier. Mettez-vous en harmonie avec ces vibrations. Visualisez la prospérité et n'oubliez pas d'être reconnaissant pour tout ce que vous recevrez.

DAME DE TRÈFLE (CONSULTANT): Pensez fortement à ce que vous désirez obtenir. Si la matérialisation de ce désir est ce qu'il y a de mieux pour vous, elle se fera; mais s'il existe quelque chose de meilleur, vous obtiendrez ce qui sera le plus avantageux pour vous.

VALET DE TRÈFLE (FAMILLE): Une connaissance vous parlera d'un travail concernant les médias. Vous recevrez sous peu un message très spécial. Du nouveau dans l'air: un mot, une pensée ou un travail demandant de la rapidité et de bons réflexes: transmettre les nouvelles, etc.

DIX DE TRÈFLE (VOYAGES): Si vous voyagez, vous aurez beaucoup à faire et à voir, et vous changerez souvent d'endroit. Si vous avez l'intention de partir en voyage, vous prendrez l'avion; ou vous changerez de résidence plusieurs fois avant de vous fixer quelque part. Des vibrations de changements ou de voyages sont dans l'air; ou vous rêvez, tout éveillé, de voyager.

NEUF DE TRÈFLE (CHANCE): Des vibrations de chance vous entourent. Les gens autour de vous ne cessent de vous répéter que vous êtes une personne qui a de la chance. Par contre, si la chance ne vous a pas souri jusqu'à présent, répétez-vous tous les jours: «J'ai de la chance!» C'est la meilleure façon de l'attirer vers vous.

HUIT DE TRÈFLE (CONSÉCRATION): Il y a des vibrations au travail pour vous au sujet des affaires. Beaucoup de travail à faire. Ne remettez pas à demain ce qui peut être fait aujourd'hui.

SEPT DE TRÈFLE (MESSAGES): Quelqu'un cherche à communiquer avec vous; ou aimerait que vous le contactiez, par écrit ou de vive voix. Détendez-vous et essayez de visualiser qui veut vous rejoindre. Vérifiez si son nom vous vient à l'esprit.

LES PIQUES

AS DE PIQUE (MORT): Une personne défunte cherche à vous rejoindre. Relaxez-vous et appelez, dans le recueillement, toutes les personnes aimées qui ont disparu. Vous serez très heureux et vous les comblerez de joie.

ROI DE PIQUE (VISITEUR): Vos guides, vos amis, vos parents décédés viennent vous voir en rêve. Recevez-les bien.

DAME DE PIQUE (GRATITUDE): Les vibrations d'une personne qui vous est reconnaissante vous entourent. Vous serez très largement récompensé pour des faveurs accordées à d'autres dans le passé.

VALET DE PIQUE (ORIENTATION): Vous aurez dans votre entourage (famille ou proches) un célèbre voyageur; ou quelqu'un qui travaillera avec les médias ou en astrologie par exemple; un travail qui cherche à maîtriser l'espace et le temps.

DIX DE PIQUE (SOLEIL): Une atmosphère rayonnante et joyeuse vibre autour de vous. Laissez-vous envahir par la bonne humeur, cela vous fera du bien. N'oubliez pas que le beau temps vient toujours après la pluie.

NEUF DE PIQUE (DÉCEPTIONS): Un retard devra être envisagé dans ce que vous attendiez impatiemment. Ne soyez pas déçu, car vous n'y perdrez pas.

HUIT DE PIQUE (PROBLÈMES): Des peccadilles assombrissent votre plaisir. Ne laissez pas les petits soucis quotidiens venir altérer votre bonne humeur. Souriez et oubliez-les, vous y serez gagnant à long terme.

SEPT DE PIQUE (SANTÉ): Des vibrations de santé travaillent pour vous. Visualisez la santé et vous ne serez jamais malade. Soyez actif, marchez, respirez à fond, aérez souvent votre maison.

MAISON DES DÉSIRS

LES CŒURS

AS DE CŒUR (FOYER): Dans la maison des désirs, cette carte signifie qu'une personne qui réside avec vous, une situation ou une circonstance dans votre foyer influencent votre désir. Vérifiez la carte placée dans la maison du foyer: si c'est un cœur, un carreau ou un trèfle, il y a de fortes chances pour que votre désir se matérialise; si c'est un pique, il y a une résistance.

ROI DE CŒUR (JOIE et BIEN-ÊTRE): Une personne qui vous veut du bien ou qui a une influence positive sur vous sera à la source de la réalisation de votre vœu. Si vous obtenez ce que vous désirez ce sera dans le plaisir. Vérifiez la maison du plaisir: si un cœur, un carreau ou un trèfle apparaît, vous serez exaucé; si c'est un pique, il y a une résistance.

DAME DE CŒUR (AMITIÉ et FAMILLE): Un ami ou un parent influencera la réalisation de votre désir. Vérifiez dans la maison de l'amitié. Si vous y trouvez un cœur, un carreau ou un trèfle, alors toutes les chances sont de votre côté; si c'est un pique, vous rencontrerez de l'opposition.

VALET DE CŒUR (CÉLÉBRITÉ, une JEUNE PERSONNE): Votre désir concerne la popularité dans les affaires ou dans la vie sociale. Vérifiez que dans la maison de la célébrité il y ait un cœur, un carreau ou un trèfle, votre vœu aura alors de bonnes chances de se concrétiser; si c'est un pique, vous rencontrerez une opposition.

DIX DE CŒUR (UNION ou MARIAGE): Votre désir se rapporte à un mariage, le vôtre ou celui d'un proche; ou il sera influencé par une union, une association d'affaires ou une association sociale. Vérifiez le message dans la maison de l'union: si un cœur, un carreau ou un trèfle la recouvre, le terrain est propice à la réalisation de votre vœu; si c'est un pique, cela laisse présager des contrariétés.

NEUF DE CŒUR (DÉSIR et SOUHAIT): Vous aurez ce que vous désirez, et plus tôt que vous ne le pensiez.

HUIT DE CŒUR (LUNE): Votre vœu sera influencé par quelqu'un qui vous aime ou que vous aimez. Vérifiez la maison de la lune; s'il y a un cœur, un carreau ou un trèfle, excellentes chances de réussite; un pique dénote de l'opposition.

SEPT DE CŒUR (BONHEUR): Votre vœu s'accompagne de joie. Cette carte représente aussi la nourriture, les rafraîchissements, les amusements, en d'autres mots, les réjouissances. Vérifiez la maison du bonheur; si un cœur s'y trouve, vous obtiendrez ce que vous désirez; si c'est un carreau ou un trèfle, vous ferez des jaloux; si c'est un pique, vous rencontrerez d'énormes résistances.

LES CARREAUX

AS DE CARREAU (NOUVEAU PROJET): Votre désir est associé à un nouveau projet ou en sera influencé. Vérifiez la maison du nouveau projet: s'il y a un cœur, un carreau ou un trèfle, votre vœu sera exaucé, si c'est un pique, il y a de la résistance.

ROI DE CARREAU (DOCUMENTS JURIDIQUES): Votre vœu sera influencé par des actions judiciaires ou par une personne de profession libérale comme un médecin ou un avocat. Vérifiez dans la maison des documents juridiques: s'il y a un cœur, un carreau ou un trèfle, la situation est en votre faveur, si c'est un pique, la situation n'est pas propice à votre désir.

DAME DE CARREAU (SAISONS): Votre vœu sera influencé par l'action du temps ou par une personne âgée. Vérifiez dans la maison des saisons: s'il y a un cœur, un carreau ou un trèfle, alors votre vœu a toutes les chances de se réaliser; si c'est un pique, vous rencontrerez des difficultés.

VALET DE CARREAU (LETTRES): Votre désir sera influencé par une lettre, un télégramme ou autre missive. Étudiez dans la maison des lettres le message qui s'y trouve: si c'est un cœur, un carreau ou un trèfle, voici une bonne chance de voir votre désir se réaliser, un pique marque de l'opposition.

DIX DE CARREAU (ARGENT): Votre désir sera influencé par l'argent. Vérifiez dans la maison de l'argent: si un cœur, un carreau ou un trèfle la recouvre, cela est de bon augure pour votre vœu; si c'est un pique, c'est la déception, les retards et la contrariété.

NEUF DE CARREAU (SURPRISES): Votre désir sera influencé par une surprise. Vérifiez la maison des surprises, le message contenu dans cette maison vous indiquera à quelle sorte de surprise vous devrez vous attendre.

HUIT DE CARREAU (HÉRITAGE): Votre vœu sera influencé par un héritage, un don ou une petite somme d'argent. Vérifiez la maison de l'héritage: si un cœur, un carreau ou un trèfle s'y trouve, voici une bonne chance de réussir; un pique marque une opposition.

SEPT DE CARREAU (RÉUSSITE): Votre vœu sera influencé par votre succès ou celui d'un de vos proches. Vérifiez dans la maison de la réussite: si c'est un cœur, un carreau ou un trèfle, c'est bon signe, si c'est un pique, vous aurez des obstacles à surmonter.

MAISON DES DÉSIRS

LES TRÈFLES

AS DE TRÈFLE (CADEAU): Votre désir a un rapport avec un cadeau ou sera influencé par quelque chose qui vous sera donné. Vérifiez dans la maison des cadeaux: s'il s'y trouve un pique, vous aurez beaucoup d'opposition, mais si c'est un cœur, un carreau ou un trèfle, vous obtiendrez ce que vous désirez.

ROI DE TRÈFLE (VOCATION et PROFESSION): Votre vœu se rapportera à une vocation ou à une profession. Vérifiez dans la maison de la vocation: un cœur, un carreau ou un trèfle et votre désir aura de bonnes chances de se réaliser, mais si c'est un pique, vous rencontrerez des difficultés.

DAME DE TRÈFLE (CONSULTANT): Ce que vous désirez est très personnel. Vérifiez dans la maison du consultant: si c'est un trèfle, vous obtiendrez ce qui vous tient tant à cœur; si c'est un cœur ou un carreau, notez le message spécial de la carte; si c'est un pique, vous aurez bien du mal à réaliser votre rêve.

VALET DE TRÈFLE (FAMILLE): Votre vœu sera influencé par un parent, homme ou femme, jeune ou vieux. Vérifiez dans la maison de la famille: si la carte est un cœur, un carreau ou un trèfle, votre désir aura de bonnes chances de se matérialiser, si c'est un pique, vous rencontrerez de l'opposition.

DIX DE TRÈFLE (VOYAGES): Votre vœu sera influencé par un changement quelconque dans votre vie ou par un voyage. Vérifiez la maison des voyages: un cœur, un carreau ou un trèfle la recouvre, vous avez de bonnes chances d'obtenir ce que vous voulez. Avec un pique, difficultés à prévoir.

NEUF DE TRÈFLE (CHANCE): La chance jouera un rôle important dans la réalisation de votre vœu. Vérifiez la maison de la chance: s'il s'y trouve un trèfle, aucun doute, votre vœu sera exaucé très rapidement; un cœur ou un carreau: vous avez de bonnes chances. Un pique marque une opposition.

HUIT DE TRÈFLE (CONSÉCRATION): Votre vœu sera influencé par votre propre réussite ou celle d'un proche en affaires, aux études ou dans une profession. Regardez si un cœur, un carreau ou un trèfle recouvre la maison de la consécration. Si oui, vous avez de fortes chances d'obtenir ce que vous désirez; si c'est un pique, il y aura opposition.

SEPT DE TRÈFLE (MESSAGES): Lettre, appel téléphonique, visite inattendue en rapport avec votre vœu. Vérifiez dans la maison des messages. Un trèfle? Votre désir sera exaucé. Un carreau? Vous recevrez une lettre. Un cœur? Ce sera la lettre d'un ami. Un pique? Un message qui vous attriste ou qui livre une nouvelle désagréable.

LES PIQUES

AS DE PIQUE (MORT): Votre désir sera influencé par une ou plusieurs des instances suivantes: mort, divorce, séparation, incarcération, adultère ou marquera la fin d'une situation très désagréable. Vérifiez dans la maison de la mort: s'il y a un cœur, un carreau ou un trèfle, bonnes chances de voir votre vœu se concrétiser. Un pique laisse sous-entendre une vive opposition.

ROI DE PIQUE (VISITEUR): Votre désir sera influencé par un visiteur: homme de loi, policier, politicien, délégué officiel du gouvernement, personne en uniforme. Vérifiez dans la maison du visiteur. S'il s'y trouve un cœur, un carreau ou un trèfle vous avez de bonnes chances de succès dans votre désir; si c'est un pique, il y a opposition.

DAME DE PIQUE (GRATITUDE): Votre vœu sera influencé par un sentiment de gratitude venant de vous ou d'une autre personne à votre égard. Cette carte représente par ailleurs un être peu scrupuleux, un intrigant. Si un cœur, un carreau ou un trèfle recouvre la maison de la gratitude, c'est un moment propice pour la réalisation de votre vœu; un pique dénote une vive opposition.

VALET DE PIQUE (ORIENTATION): Votre désir sera régi par des pensées, les vôtres ou d'autres venant d'ailleurs. Si la carte qui recouvre la maison de l'orientation est un cœur, un carreau ou un trèfle, il y aura peu d'opposition, mais si c'est un pique, attendez-vous à une certaine résistance. Cette carte peut aussi représenter un voleur ou une jeune personne avec de mauvaises intentions. Méfiez-vous de nouvelles connaissances, surtout si votre première impression est défavorable.

DIX DE PIQUE (SOLEIL): Vous voulez obtenir des renseignements qui vous tiennent à cœur. Vérifiez dans la maison du soleil: si c'est un pique, vous apprendrez quelque chose qui vous décevra; si c'est un cœur, un carreau ou un trèfle, la nouvelle vous réjouira.

NEUF DE PIQUE (DÉCEPTIONS): De l'incertitude, une déception ou une perte sont à prévoir en ce qui concerne votre vœu. Vérifiez la maison des déceptions: si vous y voyez un pique, il y a très peu de chances d'obtenir ce que vous aviez demandé. Même s'il s'agit d'une autre couleur, il n'y a pas beaucoup d'espoir.

HUIT DE PIQUE (PROBLÈMES): L'inquiétude ou des ennuis influencent ce que vous avez demandé. Vérifiez dans la maison des problèmes: si un pique la recouvre, vous avez très peu de chances d'obtenir ce que vous désirez, et même avec n'importe quelle autre couleur beaucoup d'incertitude subsiste.

SEPT DE PIQUE (SANTÉ): La santé de quelqu'un influence votre désir. Une situation n'est pas claire et vous trouble, ou trouble un être cher, un sentiment de vague à l'âme. Un pique dans la maison de la santé et il y a bien peu de chances pour que votre vœu soit exaucé.

MAISON DE LA RÉUSSITE

LES CŒURS

AS DE CŒUR (FOYER): Dans cette maison, cette carte indique qu'une situation dans votre foyer influencera votre réussite future; ou qu'une transaction qui se fera dans votre maison vous apportera le succès espéré; ou que vous réussirez à vous installer dans une nouvelle demeure.

ROI DE CŒUR (PLAISIR et BIEN-ÊTRE): C'est en rendant les autres heureux que vous vivrez le plus intensément la réussite. Il est aussi possible qu'une personne bien intentionnée à votre égard ait une influence sur votre travail présent ou à venir. Sur le plan professionnel, vous ne réussirez que si vous aimez ce que vous faites. Cette carte dans cette maison est de très bon augure.

DAME DE CŒUR (AMITIÉ): Un ami aura quelque influence sur votre succès à venir; avec un peu de chance vous réussirez. Vous avez des amis bien placés.

VALET DE CŒUR (CÉLÉBRITÉ): Votre succès est lié à la façon dont le public vous perçoit. Cultivez vos bonnes manières et devenez populaire. Il se peut aussi que vous ayez à travailler avec des gens célèbres ou que vous connaissiez vous-même la célébrité.

DIX DE CŒUR (UNION): C'est à travers le mariage ou une association quelconque que vous parviendrez au succès. Dans un avenir rapproché, si vous êtes soutien de famille, certaines transactions dans votre domaine auront des résultats intéressants: réunion de plusieurs affaires en une, soit dans la firme pour laquelle vous travaillez, soit l'union de plusieurs entreprises dans lesquelles vous avez des intérêts; succès dans toutes les sortes d'union.

NEUF DE CŒUR (DÉSIR et SOUHAIT): Votre vœu devrait se réaliser. Une association bénéfique pour vous se présentera bientôt.

HUIT DE CŒUR (LUNE): Vous réussirez grâce à l'amour ou l'estime de quelqu'un. Vous serez une personne appréciée des autres si vous êtes soutien de famille ou si vous demeurez à la maison; ou par votre camaraderie si allez à l'école; ou ceci pourrait annoncer une aventure galante ou un mariage. Succès en amour garanti.

SEPT DE CŒUR (BONHEUR): Votre réussite dépend de votre bonne humeur et de vos sentiments amicaux. Vous serez l'objet de beaucoup de jalousie avant de réussir; cependant, vous y parviendrez.

LES CARREAUX

AS DE CARREAU (NOUVEAU PROJET): C'est en vous engageant dans un nouveau défi que vous pourrez faire l'expérience du succès; ou en retournant aux études que vous améliorerez vos chances de succès. Quelque chose de nouveau et de gratifiant s'annonce pour vous très prochainement.

ROI DE CARREAU (DOCUMENTS JURIDIQUES): Votre réussite est intimement liée à des affaires juridiques ou à une action judiciaire quelconque. Si vous êtes étudiant, orientez-vous vers une profession libérale. C'est là que la réussite vous attend. Si vous avez des contrats à signer, faites-le rapidement, car ils seront à votre avantage.

DAME DE CARREAU (SAISONS): Vous avez besoin de temps pour assurer votre réussite. Étudiez beaucoup, travaillez fort et ne dérogez pas à vos bonnes habitudes. On vous offrira quelque chose de très avantageux au cours des trois prochains mois.

VALET DE CARREAU (LETTRES): Vous réussirez mieux dans un travail qui exige une grande rapidité de communication: les métiers touchant la transmission des nouvelles. Il se pourrait aussi que vous receviez une lettre vous annonçant un succès. Des nouvelles au sujet d'un gain financier vous parviendront bientôt.

DIX DE CARREAU (ARGENT): Vous aurez beaucoup de succès sur le plan financier. Vous devriez gagner beaucoup d'argent très prochainement. Une grosse somme d'argent est prévue bientôt.

NEUF DE CARREAU (SURPRISES): Vous serez surpris par un succès qui vous arrivera bientôt et qui se traduira par un gain financier très substantiel. Une dette sera remboursée ou un cadeau en espèces offert.

HUIT DE CARREAU (HÉRITAGE): Vous devriez hériter de quelque chose qui vous aidera à vous placer sur le chemin du succès: un commerce, des actions, une somme d'argent, une bourse; ou de l'argent est à prévoir.

SEPT DE CARREAU (RÉUSSITE): Votre réussite va outrepasser vos espérances très prochainement. Cette carte dans cette maison est le meilleur signe que vous puissiez avoir pour symboliser la réussite matérielle. Mais rappelez-vous toutefois que vous n'aurez pas du succès dans tout ce que vous entreprendrez, seul l'aspect pécuniaire est concerné.

MAISON DE LA RÉUSSITE

LES TRÈFLES

AS DE TRÈFLE (CADEAU): Vous recevrez très prochainement un don, un cadeau qui aura quelque chose à voir avec votre prochain succès. Vous réussirez à trouver le cadeau que vous vouliez offrir à quelqu'un; ou on vous fera une offre qui sera tout à votre avantage.

ROI DE TRÈFLE (VOCATION): Vous vous lancerez dans une activité qui aura beaucoup de succès; ou vous réussissez dans ce que vous faites actuellement. Le travail ne manquera pas et vous remporterez de vifs succès.

DAME DE TRÈFLE (CONSULTANT): La réussite vous tend les bras, ou très prochainement vous aurez un succès tout à fait inattendu qui concerne votre source de revenu. Une carrière pleine de succès vous attend.

VALET DE TRÈFLE (FAMILLE): Un parent aura quelque chose à voir avec votre réussite, et votre succès dépendra de votre éducation; ou vous avez un ami ou un parent très populaire qui réussit bien.

DIX DE TRÈFLE (VOYAGES): C'est en voyageant ou en faisant un changement quelconque dans votre vie que vous réussirez; ou il serait à votre avantage d'être votre propre patron. Un changement prochain et réussi dans votre vie proviendra d'une vente ou d'un achat.

NEUF DE TRÈFLE (CHANCE): La chance et la réussite sont au programme; c'est aussi quand les choses seront les plus sombres que vous deviendrez l'artisan de votre réussite. Les neuf prochains jours devraient vous être profitables.

HUIT DE TRÈFLE (CONSÉCRATION): La route sur laquelle vous vous êtes engagé actuellement, qu'elle soit reliée aux affaires ou au travail, va s'avérer bénéfique pour vous; vous êtes sur la bonne voie, ou vous le serez bientôt. De bonnes affaires ou un excellent poste sont annoncés.

SEPT DE TRÈFLE (MESSAGES): Un message qui vous fera plaisir vous parviendra bientôt. Si vous êtes à la recherche d'un emploi, vous en dénicherez un, dans le domaine de la vente ou des techniques de pointe, ou dans quelque chose de semblable. Un message arrive apportant de bonnes nouvelles.

LES PIQUES

AS DE PIQUE (MORT): C'est à la suite de la disparition de quelqu'un que vous réussirez; ou on vous offre le poste d'une personne congédiée; ou une personne peu scrupuleuse vous explique comment parvenir à vos fins; ou un changement de situation vous sera bénéfique.

ROI DE PIQUE (VISITEUR): Un visiteur influencera votre réussite. Cette carte symbolise la justice. Il est possible que vous ayez une contravention, ou que vous perdiez votre emploi; ou un procès. Une personne haut placée entre en contact avec vous.

DAME DE PIQUE (GRATITUDE): Quelqu'un ou quelque chose retarde votre réussite. Méfiez-vous des fausses promesses. Une personne hypocrite dans votre entourage immédiat peut vous causer du tort; ou on vous montre de la reconnaissance pour des services rendus.

VALET DE PIQUE (ORIENTATION): Une personne mal intentionnée essaie de retarder votre avancement; vous pourriez aussi avoir à faire du travail rebutant pour arriver à percer; ou quelqu'un espère que vous échouerez. Si vous êtes un spécialiste, on pourrait vous offrir un travail en relation avec les médias: travail qui touche à la distance et à l'espace. Il y a possibilité de succès pour vous dans ce domaine.

DIX DE PIQUE (SOLEIL): C'est avec détermination que vous surmonterez tous les obstacles. Le soleil brillera pour vous quand les choses vous paraîtront les plus désespérées; ou bien vous vendrez des propriétés; ou encore vous ferez des bénéfices grâce à des placements dans les ressources minières ou l'électricité.

NEUF DE PIQUE (DÉCEPTIONS): Vous êtes ou serez déçu parce que vous faites face à un contretemps qui ralentit une activité entreprise avec espoir; ou une perte relative à une opération financière est à craindre. Un retard est à prévoir.

HUIT DE PIQUE (PROBLÈMES): Vous aurez encore quelques obstacles difficiles à franchir avant de réussir dans une entreprise qui vous tient à cœur. Démarrez un nouveau projet.

SEPT DE PIQUE (SANTÉ): Votre santé perturbera votre réussite; ou la déception causée par un échec ne vous aidera pas à remonter la pente; ne soyez pas découragé. Si vous n'avez pas réussi, il y a autre chose qui vous attend et, à long terme, vous réussirez et recouvrerez la santé.

LES CŒURS

AS DE CŒUR (FOYER): Dans la maison de la lune, cette carte signifie que vous aimez que votre demeure soit chaleureuse; ou il y a ou il y aura beaucoup d'amour dans votre maison; ou, dans l'avenir, vous aurez une maison accueillante. Une nouvelle demeure vous est destinée.

ROI DE CŒUR (PLAISIR et BIEN-ÊTRE): L'amour ou l'estime d'une personne qui vous veut du bien influencera votre bien-être futur. Vous recherchez les occasions de vous amuser, comme les sorties au parc d'amusements ou autres endroits où la gaieté est de mise.

DAME DE CŒUR (AMITIÉ): Vous avez un ami, un parent ou un amoureux qui vous aime et vous protège.

VALET DE CŒUR (CÉLÉBRITÉ): Vous serez très populaire parmi vos associés et vos amis; vous susciterez aussi l'admiration parmi les représentants du sexe opposé. Si vous êtes célibataire, vous aurez un nouvel admirateur; si vous êtes marié, l'admiration viendra d'un nouvel ami. Une personne influente deviendra votre ami.

DIX DE CŒUR (UNION): Nouvelle liaison amoureuse ou proposition de mariage en vue. Si vous êtes déjà engagé, cela peut signifier une réunion de famille ou une rencontre avec de vieux amis; ou vous pouvez vous attendre à recevoir une invitation pour le mariage d'un de vos amis ou connaissance. Possibilité d'une réunion de famille.

NEUF DE CŒUR (DÉSIR et SOUHAIT): Vous serez au comble de la joie, car vos vœux se réaliseront; ou c'est grâce à l'amour ou à l'estime que quelqu'un vous porte que vous obtiendrez cette réalisation. Indique du plaisir à venir.

HUIT DE CŒUR (LUNE): Si vous célibataire, votre amoureux vous aime vraiment; si vous êtes marié, vous êtes très aimé et apprécié de vos proches, conjoint, enfants et amis. Si vous êtes libre et que vous n'avez pas d'amoureux, une grande histoire d'amour est imminente.

SEPT DE CŒUR (BONHEUR): Un grand bonheur vous attend; vous risquez aussi d'éveiller la jalousie de quelqu'un de très proche, à la maison peut-être...

LES CARREAUX

AS DE CARREAU (NOUVEAU PROJET): Si vous êtes célibataire, une nouvelle orientation modifiera votre avenir; ou vous vous lancerez dans une nouvelle aventure que vous adorerez.

ROI DE CARREAU (DOCUMENTS JURIDIQUES): Certaines procédures légales vous seront socialement bénéfiques; ou vous aiderez un ami qui a divers ennuis juridiques. Si vous êtes avocat, par exemple, vous pourriez gagner une cause, ce qui vous apportera une certaine notoriété; ou, dans une profession libérale quelconque, vous poserez un acte d'altruisme ou d'humanisme qui vous apportera beaucoup de satisfaction; ou un contrat de mariage sera signé.

DAME DE CARREAU (SAISONS): Avec le temps, amour, satisfaction et prospérité s'installeront dans votre vie; aussi, dans les trois prochains mois, vous vivrez un changement qui améliorera votre situation. Une vieille dame vous protège.

VALET DE CARREAU (LETTRES): Vous recevrez un télégramme ou des nouvelles hâtives de la part de quelqu'un qui vous aime; excellentes nouvelles.

DIX DE CARREAU (ARGENT): L'amour et l'argent devraient faire partie de votre vie. Si vous êtes célibataire, un riche mariage est à prévoir; ou votre conjoint réussira dans sa carrière au cours des années.

NEUF DE CARREAU (SURPRISES): Si vous êtes célibataire, vous aurez la surprise de votre vie quand la personne qui vous semblait la plus indifférente vous déclarera sa flamme; ou quelqu'un, de qui vous attendiez très peu, vous défendra lors d'une injustice commise à votre égard. Une bonne surprise pour vous.

HUIT DE CARREAU (HÉRITAGE): Une très belle combinaison que cette carte dans cette maison! Vous recevrez un cadeau en espèces. L'amour et un possible héritage seront de la partie.

SEPT DE CARREAU (RÉUSSITE): Vous aurez du succès en amour; ou le succès devrait être assuré, car des pensées d'amour vous sont envoyées de la part d'une ou de plusieurs personnes.

Chaque désir est une prière à Dieu.
Elisabeth Barrett Browning

MAISON DE LA LUNE

LES TRÈFLES

AS DE TRÈFLE (CADEAU): Vous recevrez un cadeau de la part de quelqu'un qui vous aime; ou vous ferez un cadeau à quelqu'un que vous aimez, peut-être une bague de fiançailles si vous êtes célibataire; ou une offre concernant le domaine des affaires.

ROI DE TRÈFLE (VOCATION): C'est grâce à une relation d'affaires que vous trouverez l'emploi qui vous convient. Si vous êtes à la recherche d'un emploi, vous en trouverez un très prochainement qui vous passionnera et dans lequel vous travaillerez avec des gens que vous aimez.

DAME DE TRÈFLE (CONSULTANT): Quelqu'un vous admire beaucoup; ou vos amis vous trouvent irrésistible. Il y a de l'amour dans l'air, venant d'un peu partout. Si vous êtes célibataire, vous vivrez une belle histoire d'amour.

VALET DE TRÈFLE (FAMILLE): Vous êtes le préféré de certains des membres de votre famille; ou vous avez l'amour d'un ami, d'un amoureux ou de votre conjoint, personne qui deviendra bientôt célèbre.

DIX DE TRÈFLE (VOYAGES): Vous ferez un voyage ou une sortie qui vous fera très plaisir. Si vous êtes célibataire, ce sera peut-être un week-end d'amoureux ou une lune de miel qui se prépare; ou un voyage qui améliorera votre situation. Si on vous offre un meilleur poste, n'hésitez pas, prenez-le.

NEUF DE TRÈFLE (CHANCE): Vous aurez de la chance en amour; ou ce sont les gens qui vous aiment qui vous porteront chance. La chance vous tend la main.

HUIT DE TRÈFLE (CONSÉCRATION): Votre aventure amoureuse pourrait bien aboutir à une proposition d'affaires; ou l'amour viendra avec ou par le travail; ou vous aurez une demande en mariage si vous êtes libre. L'amour et les affaires sont ici étroitement liés.

SEPT DE TRÈFLE (MESSAGES): Vous recevrez un message d'amitié ou d'amour; ou vous en enverrez un à un ami; ou quelqu'un que vous aimez bien vous appellera.

LES PIQUES

AS DE PIQUE (MORT): Une personne viendra vous voir et vous demandera de faire l'amour avec elle; faites attention aux avances déplacées que l'on pourrait vous faire, vous risquez d'être déçu et meurtri.

ROI DE PIQUE (VISITEUR): Quelqu'un dont vous devez vous méfier communiquera avec vous; ou vous avez une brouille; ou vous vivrez une querelle d'amoureux; ou, plus simplement, dans votre entourage, des policiers viendront mettre fin à une bagarre entre mari et femme; ou vous tombez amoureux de quelqu'un portant l'uniforme.

DAME DE PIQUE (GRATITUDE): Quelqu'un de désagréable vous causera du tort en parlant contre vous à votre amoureux; ou une personne méprisable sèmera la discorde parmi des gens mariés; ou quelqu'un d'ingrat que vous avez aidé vous créera des problèmes; ou quelqu'un que vous aimez bien vous montrera de l'ingratitude.

VALET DE PIQUE (ORIENTATION): Une nouvelle connaissance est jalouse de vous; méfiez-vous de cette personne qui se fait passer pour votre ami. Si vous êtes célibataire, votre amoureux pense à vous.

DIX DE PIQUE (SOLEIL): Le soleil perturbe votre jugement sur quelqu'un qui est sous votre responsabilité; vos réflexions vous permettront de trouver ce que vous cherchiez. Le soleil reviendra dans votre vie grâce à l'amour.

NEUF DE PIQUE (DÉCEPTIONS): Vous êtes ou serez déçu par quelqu'un que vous aimez ou par un ami très proche; cette carte annonce aussi un divorce, un bris d'engagement. Un ami s'en va ou son arrivée est retardée.

HUIT DE PIQUE (PROBLÈMES): Vous êtes inquiet et quelque peu troublé par l'intérêt que quelqu'un vous porte; ou une personne que vous aimez est malade ou vient de mourir; ou vous avez peur de perdre quelqu'un; ou possibilité de dispute.

SEPT DE PIQUE (SANTÉ): La maladie de quelqu'un que vous aimez vous attriste; ou vous avez une peine de cœur.

Nous ne désirons rien de plus que ce que nous devons avoir.
Publilius Syrus

LA MAISON DES SURPRISES

LES CŒURS

AS DE CŒUR (FOYER): Dans la maison des surprises, cette carte signifie qu'une surprise vous attend au sujet de votre demeure ou de l'endroit ou vous habitez. Il s'agit d'une surprise agréable. Peut-être achèterez-vous une nouvelle maison.

ROI DE CŒUR (PLAISIR et BIEN-ÊTRE): Quelqu'un vous surprend. C'est une bonne surprise. Un beau cadeau pour vous.

DAME DE CŒUR (AMITIÉ): Une bonne surprise de la part d'un parent ou d'un ami. Une fête est organisée en votre honneur.

VALET DE CŒUR (CÉLÉBRITÉ): Vous entendrez quelque chose que l'on dit de vous qui vous fera grand plaisir. Si vous êtes célibataire, vous serez invité par un de vos admirateurs; ou vous aurez une aventure galante avec une personne célèbre.

DIX DE CŒUR (UNION): Une fête sera donnée en votre honneur. Vous y rencontrerez de vieilles connaissances que vous n'avez pas vues depuis longtemps; ou vous serez surpris par le mariage de quelqu'un que vous connaissez. Si vous êtes dans les affaires, le regroupement inattendu de plusieurs compagnies pourrait bien vous apporter de substantiels bénéfices; ou un mariage entre personnes âgées vous surprendra.

NEUF DE CŒUR (DÉSIR): Une surprise se rapporte à votre vœu. C'est une bonne surprise.

HUIT DE CŒUR (LUNE): Vous aurez une agréable surprise lorsqu'on vous dira combien on vous aime ou qu'on vous le démontrera par des actes ou un événement précis.

SEPT DE CŒUR (BONHEUR): Un grand bonheur vous attend: sorties inhabituelles, rencontres amusantes. Mais attention à la jalousie parmi vos amis. Bonnes nouvelles bientôt.

Ne vous étonnez de rien et ne considérez rien comme impossible jusqu'à ce que cela arrive.

Cicéron

LES CARREAUX

AS DE CARREAU (NOUVEAU PROJET): Vous serez très surpris par un nouveau défi qui s'offre à vous; ou l'annonce d'une offre vous est faite pour vos services. Une nouvelle proposition d'affaires vous est offerte. N'hésitez pas et tentez votre chance.

ROI DE CARREAU (DOCUMENTS JURIDIQUES): Vous serez surpris par un procès ou un document juridique qui vous parviendra; ou vous hériterez et vous aurez besoin des services d'un avoué; ou vous aurez une surprise de la part d'une personne exerçant une profession libérale. Vous allez sous peu signer un document officiel, tel un contrat.

DAME DE CARREAU (SAISONS): Avant la fin de cette année, vous serez surpris par une proposition d'un de vos proches qui financièrement sera à votre avantage. Un grand changement dans votre vie s'opère aussi cette année pour vous.

VALET DE CARREAU (LETTRES): Vous recevrez très prochainement des nouvelles inattendues qui vous surprendront, comme l'annonce d'un mariage entre gens âgés; ou une lettre vous parviendra d'une personne de qui vous n'auriez jamais pensé qu'elle puisse vous écrire.

DIX DE CARREAU (ARGENT): Vous recevrez bientôt une somme d'argent à laquelle vous ne vous attendiez pas du tout. Un cadeau en espèces.

NEUF DE CARREAU (SURPRISES): Vous aurez une des plus grandes surprises de votre vie. Ce sera une bonne surprise.

HUIT DE CARREAU (HÉRITAGE): Vous serez agréablement surpris d'apprendre que vous recevrez une petite somme d'argent, comme un prêt remboursé et auquel vous ne vous attendiez pas; ou un legs vous vient de quelqu'un dont vous n'auriez jamais pensé cela possible. Une grosse surprise par rapport à l'argent.

SEPT DE CARREAU (RÉUSSITE): Vous allez enfin réussir à obtenir ce que vous vouliez depuis longtemps: un travail ou un objet très convoité. De plus, une circonstance fortuite aidera votre cause.

LA MAISON DES SURPRISES

LES TRÈFLES

AS DE TRÈFLE (CADEAU): Vous recevrez un cadeau qui vous surprendra; quelque chose à laquelle vous ne vous attendiez pas; ou une offre vous est faite pour vos services: une promotion ou une augmentation de salaire.

ROI DE TRÈFLE (VOCATION): La surprise viendra dans ce que vous faites pour gagner votre vie. Préparez-vous à une bonne surprise.

DAME DE TRÈFLE (CONSULTANT): Vous êtes sur le point d'avoir une grande surprise; préparez-vous. C'est une bonne surprise.

VALET DE TRÈFLE (FAMILLE): Un parent ou un ami très proche vous surprendra. Il vous appellera de très loin.

DIX DE TRÈFLE (VOYAGES): Vous vous surprendrez vous-même d'un changement que vous ferez dans votre vie; ou on va vous inviter à faire une excursion à la plage ou à la campagne; ou une offre vous est faite pour visiter une propriété.

NEUF DE TRÈFLE (CHANCE): Vous allez être surpris de la chance qui vous arrive; cette surprise concerne votre occupation, quoi que vous fassiez: affaires, commerce, études. Vous aurez de la chance bientôt.

HUIT DE TRÈFLE (CONSÉCRATION): Une surprise vous attend avec l'accomplissement d'une tâche: une offre d'emploi stable. Avec cette carte dans cette maison, attendez-vous à avoir des surprises dans le monde des affaires. Vous serez appelé à travailler avec des personnes différentes.

SEPT DE TRÈFLE (MESSAGES): On vous appellera bientôt. L'appel proviendra d'une personne de qui vous n'auriez jamais pensé avoir de nouvelles. Vous recevrez des nouvelles par téléphone, prochainement.

Les surprises sont comme les coquelicots:
vous cueillez la fleur, elle flétrit;
ou comme la neige qui tombe dans la rivière,
blanche un moment, fondue à l'instant.

Robert Burns

LES PIQUES

AS DE PIQUE (MORT): Vous serez surpris par l'annonce d'un décès; ou le divorce d'un ami; ou une situation désagréable s'achève.

ROI DE PIQUE (VISITEUR): Vous aurez droit à une surprise lorsqu'on viendra frapper à votre porte, peut-être pour une bonne œuvre; ou pour des taxes; ou un collecteur quelconque; ou un ex-conjoint vous appelle. Quelque chose vous froisse.

DAME DE PIQUE (GRATITUDE): Vous serez surpris par le manque de considération d'une personne que vous avez aidée; on vous traite avec ingratitude.

VALET DE PIQUE (ORIENTATION): Vous serez désagréablement surpris d'apprendre ce qu'une personne, que vous estimez, pense ou dit à votre sujet; ou vous entendrez des nouvelles à la radio ou à la télévision qui vous laisseront perplexe.

DIX DE PIQUE (SOLEIL): Vous apprendrez, en fin d'après-midi, quelque chose qui vous surprendra au sujet d'une personne en qui vous aviez toute confiance et que vous pensiez votre ami. Attention à qui vous confiez vos secrets.

NEUF DE PIQUE (DÉCEPTIONS): Vous aurez une très désagréable surprise, comme un commérage malveillant sur votre compte; ou une vente clandestine de la part d'une personne en qui vous aviez toute confiance; ou un retard dans une transaction alors que l'affaire était conclue.

HUIT DE PIQUE (PROBLÈMES): Ennuis inattendus. Perte de temps non prévue. Évitez la colère.

SEPT DE PIQUE (SANTÉ): Vous aurez une mauvaise surprise qui risque de vous rendre malade; ou vous serez surpris par l'annonce de la maladie de quelqu'un qui vous est cher. Relaxez-vous, ne soyez pas trop perturbé, car cela va s'arranger très vite.

MAISON DE LA CÉLÉBRITÉ

LES CŒURS

AS DE CŒUR (FOYER): Dans la maison de la célébrité, cette carte signifie que si vous êtes un bon bricoleur, vous serez populaire parmi vos amis; ou votre maison, présente ou future, sera un endroit accueillant où les gens aimeront venir; ou vous aurez beaucoup d'offres pour vendre votre propriété.

ROI DE CŒUR (PLAISIR et BIEN-ÊTRE): Vous êtes populaire parmi vos amis pour votre joie de vivre; ou vous serez recherché et fêté. Du plaisir en perspective.

DAME DE CŒUR (AMITIÉ): Vous êtes apprécié par vos amis et vos proches. Vous, un membre de votre famille ou un ami très cher connaîtra la célébrité.

VALET DE CŒUR (CÉLÉBRITÉ): Vous n'aurez aucun problème à faire reconnaître votre compétence si vous exercez une profession libérale. Il se peut même que vous deveniez célèbre quoi que vous entrepreniez. Travail reconnu en vue.

DIX DE CŒUR (UNION): C'est par votre mariage ou par l'entremise d'une association ou d'une organisation, ou encore par un club que vous deviendrez populaire; ou vous travaillerez pour une firme connue ou une personne célèbre.

NEUF DE CŒUR (DÉSIR et SOUHAIT): Votre réputation influencera favorablement votre souhait.

HUIT DE CŒUR (LUNE): Vous avez beaucoup d'admirateurs et les gens pourraient avoir de l'estime et de la considération pour vous. L'amour et la célébrité seront votre lot.

SEPT DE CŒUR (BONHEUR): Parce que vous vous laisserez aller librement à la joie et au plaisir, on pourrait s'intéresser beaucoup à vous; ou vous êtes toujours d'humeur enjouée; ou des amis célèbres vous apportent beaucoup de bonheur. Méfiez-vous cependant, car vous risquez d'être jalousé à cause de votre popularité.

LES CARREAUX

AS DE CARREAU (NOUVEAU PROJET): Parce qu'on vous apprécie, on vous proposera une nouvelle situation ou quelque chose dans le domaine des affaires; ou votre affaire va prospérer. Ceci pourrait arriver très prochainement et concerne tous ceux qui ont tiré cette carte.

ROI DE CARREAU (DOCUMENTS JURIDIQUES): Vous pourriez avoir des amis influents; ou si vous exercez une profession libérale ou que vous étudiez pour y arriver, vous réussirez; vos produits ou le théâtre vous gagneront aussi la notoriété; ce que vous faites ou certains de vos articles pourraient être copiés, vous intenterez une poursuite pour contrefaçon.

DAME DE CARREAU (SAISONS): Vous serez populaire aussi longtemps que vous aiderez financièrement les autres; ou le temps vous apportera gloire et fortune.

VALET DE CARREAU (LETTRES): Vous recevrez des papiers vous concernant, par exemple un compte de renouvellement pour un journal ou des annonces publicitaires; ou une lettre contenant des papiers importants ou un contrat.

DIX DE CARREAU (ARGENT et RICHESSE): C'est parce que vous êtes connu et apprécié que vous pouvez espérer augmenter vos revenus, ou par la vente de marchandises ou grâce à un investissement. Si vous êtes un professionnel, l'argent là aussi viendra grâce à votre popularité, et vous signerez un contrat.

NEUF DE CARREAU (SURPRISES): Vous serez agréablement surpris d'entendre ce que l'on dit de tout ce que vous faites; ou, à cause de votre popularité, on vous demandera de faire quelque chose à laquelle vous ne vous attendiez pas. Une surprise de la part d'une personne célèbre.

HUIT DE CARREAU (HÉRITAGE): Grâce à l'estime que l'on vous porte et que vous méritez, vous recevrez une faveur; ou parce que vous êtes un étudiant populaire, des honneurs vous sont accordés. Vous pourriez gagner un petit montant d'argent avec un programme de publicité.

SEPT DE CARREAU (RÉUSSITE): Votre succès à venir dépend de l'efficacité avec laquelle vous accomplirez les tâches que vous vous êtes assignées. Succès et popularité vont de pair. Si vous œuvrez dans le monde des professionnels, (médecin, acteur, avocat, etc.) la célébrité et beaucoup de travail vous attendent.

MAISON DE LA CÉLÉBRITÉ

LES TRÈFLES

AS DE TRÈFLE (CADEAU): Grâce à quelque chose que vous avez fait ou à cause de votre popularité, vous recevrez un beau cadeau; ou vous serez amené à côtoyer des gens célèbres. Une excellente proposition.

ROI DE TRÈFLE (VOCATION): Votre popularité et l'estime que l'on vous porte vous attireront travail, affaires ou promotion; ou vos services seront requis pour d'autres secteurs; ou vous serez appelé à travailler avec des personnes qui font des carrières professionnelles.

DAME DE TRÈFLE (CONSULTANT): La reconnaissance de votre valeur arrivera au moment où vous ne l'attendiez plus; ou quelque chose que vous avez fait ou que vous êtes en train de fabriquer deviendra très populaire et sera demandé partout.

VALET DE TRÈFLE (FAMILLE): Un membre de votre famille pourrait devenir extrêmement célèbre; ou grâce à l'aide d'un parent, vous allez devenir très populaire. Si vous êtes célibataire, votre mariage sera un succès.

DIX DE TRÈFLE (VOYAGES): À cause de la réputation enviable que vous avez su acquérir, vous apporterez un changement quelconque; ou grâce à un concours de popularité un voyage vous est attribué; ou une bourse de voyage vous échoit. Un changement qui améliore votre situation.

NEUF DE TRÈFLE (CHANCE): C'est en prenant part à des activités sociales que vous vous ferez des relations qui vous porteront chance. Popularité et chance vous attendent.

HUIT DE TRÈFLE (CONSÉCRATION): Vous accomplirez une tâche qui vous fera connaître et apprécier; regardez comme la publicité vient à vous et comment croissent vos affaires; ou une meilleure situation vous est offerte.

SEPT DE TRÈFLE (MESSAGES): Vos services seront recherchés; ou un bon travail ou une bonne proposition vous sont offerts, par écrit ou par téléphone; vous recevrez beaucoup de messages et votre téléphone ne dérougira pas, parce que vous avez su vous rendre populaire parmi vos amis.

LES PIQUES

AS DE PIQUE (MORT): Vous pourriez apprendre le décès d'une personne célèbre; ou comment elle a perdu sa popularité; ou, si vous êtes vous-même populaire, vous pourriez perdre votre pouvoir de séduction ou même votre réputation; ou en changeant de travail ou de poste une nouvelle popularité vient à vous; ou la fin d'une situation désagréable.

ROI DE PIQUE (VISITEUR): Une personne se vantera de sa popularité; ou elle finira par vous demander de lui prêter un peu d'argent; ou une personnalité vous rendra visite.

DAME DE PIQUE (GRATITUDE): Vous ne pouvez compter sur les personnes qui parlent de vous et qui devraient se montrer reconnaissantes pour les faveurs que vous avez faites pour elles. Évitez ceux en qui vous n'avez pas confiance.

VALET DE PIQUE (ORIENTATION): Une personne chagrine vous encensera par devant et vous critiquera par derrière; attention aux problèmes avec ce genre de personnes. Si vous faites une carrière professionnelle, le public vous appréciera. Il semble que vous travaillez avec les médias.

DIX DE PIQUE (SOLEIL): Le soleil met à jour les intrigues et les mensonges et si quelqu'un essaie de vous dérober le crédit d'une chose qui vous revient de droit, votre vraie place vous sera rendue; ou vous aurez de nombreux et fervents admirateurs. Si vous faites une carrière professionnelle, le soleil brillera de tous ses feux pour vous.

NEUF DE PIQUE (DÉCEPTIONS): Vous perdrez votre popularité à cause de votre ligne de conduite, vos reculs, votre petit verre de trop ou vos ventes louches; ou il y a un contretemps dans l'obtention de ce que vous voulez. Un léger retard.

HUIT DE PIQUE (PROBLÈMES): Vous aurez des ennuis à cause de votre popularité; ou vous ne vous trouvez pas apprécié à votre juste valeur; ou vous vous querellerez avec quelqu'un de connu; ou vous aurez des mots aigres-doux avec une personne agressive.

SEPT DE PIQUE (SANTÉ): Vous serez affecté en apprenant ce que l'on dit de vous; ou, si vous êtes un athlète populaire ou si vous prenez part à des sports de plein air, votre santé vous fait perdre de la popularité. Reprenez courage, les jours meilleurs sont à venir.

MAISON DU FOYER

LES CŒURS

AS DE CŒUR (FOYER): Dans la maison du foyer, cette carte signifie que vous aimez une maison confortable et un bel environnement; et aussi que votre prochain déménagement vous amènera dans une demeure encore plus belle; ou vous décidez de faire des rénovations dans votre maison ou votre propriété.

ROI DE CŒUR (PLAISIR et BIEN-ÊTRE): Grâce aux efforts d'une personne bien intentionnée, vous aurez ou vous avez eu une grande joie dans votre vie domestique; ou votre hypothèque se trouve remboursée grâce à l'aide d'une personne âgée.

DAME DE CŒUR (AMITIÉ): C'est avec l'aide d'un ami que vous trouverez une maison. Une aide amicale pour vous.

VALET DE CŒUR (CÉLÉBRITÉ): On aime se rendre chez vous, votre gentillesse avec les visiteurs est très appréciée; ou vous allez acquérir une fantastique propriété qui prendra beaucoup de valeur avec le temps.

DIX DE CŒUR (UNION): Un mariage aura lieu dans votre maison; ou des parents et des amis viendront vous voir, faisant de cette visite une vraie réunion de famille. Du bon temps au programme!

NEUF DE CŒUR (DÉSIR et SOUHAIT): Vos souhaits sont intimement liés à votre situation familiale. Vos vœux se réaliseront.

HUIT DE CŒUR (LUNE): Avant que ne passent beaucoup de lunes, vous pouvez espérer connaître les joies d'un nouveau foyer que vous pourrez aimer si vous n'avez pas déjà la maison de vos rêves.

SEPT DE CŒUR (BONHEUR): Les difficultés que vous avez eues pour trouver la maison qui convient à vos besoins seront surmontées, ce qui vous apportera beaucoup de bonheur. Vous aurez pourtant à subir la jalousie de votre entourage. Si vous possédez déjà une maison, vous y apporterez des améliorations.

> *Là où l'amour est maître,*
> *et où l'hôte est l'amitié,*
> *là, est ma vraie demeure*
> *car là, mon cœur peut se mettre à nu.*
> Henry van Dyke

LES CARREAUX

AS DE CARREAU (NOUVEAU PROJET): L'argent que vous dépenserez pour rénover votre intérieur sera de l'argent bien placé; ou vous songez à acheter une maison; ou quelques nouveaux projets pourraient voir le jour à la maison et dans ce cas la réussite est assurée; ou vous pourriez faire de nouvelles affaires à partir de chez vous.

ROI DE CARREAU (DOCUMENTS JURIDIQUES): Si vous travaillez dans le domaine de la santé, vous pourriez avoir à vous servir de votre résidence pour les besoins de votre profession; ou il est possible qu'une personne exerçant une profession libérale ait une influence sur votre foyer; ou vous pourriez avoir la visite d'un avoué en rapport avec des documents juridiques ou une action en justice; ou vous achèterez ou vendrez des propriétés.

DAME DE CARREAU (SAISONS): Une grosse amélioration aura lieu dans votre résidence avant la fin de la saison.

VALET DE CARREAU (LETTRES): Vous pouvez vous attendre à recevoir bientôt des nouvelles à votre résidence: un télégramme, un appel interurbain ou une lettre par avion; ou des nouvelles concernant la propriété. Bonnes nouvelles!

DIX DE CARREAU (ARGENT): Au moins une fois dans votre vie vous posséderez votre propre maison, et elle sera à votre goût; ou l'argent viendra d'une nouvelle ligne exploitée à partir de la maison; ou vous vendrez votre propriété pour une somme rondelette.

NEUF DE CARREAU (SURPRISES): Une bonne surprise vous attend chez vous. Une surprise qui concerne votre propriété.

HUIT DE CARREAU (HÉRITAGE): Vous hériterez de quelque chose: une maison ou un ameublement pour la maison; ou vous achèterez une maison et vous pourrez la payer avec de petits versements.

SEPT DE CARREAU (RÉUSSITE): Vous devrez votre réussite à l'éducation que vous avez reçue, très jeune, à la maison; ou vous aurez une superbe propriété; ou vous réussirez comme bricoleur ou constructeur; ou vous assurerez votre réussite en vendant ou en achetant des maisons.

MAISON DU FOYER

LES TRÈFLES

AS DE TRÈFLE (CADEAU): Vous recevrez un cadeau pour la maison: nouveaux meubles, instruments de musique, ou quelque grosse pièce d'ameublement; ou vous recevrez le contrat d'achat d'une nouvelle demeure.

ROI DE TRÈFLE (VOCATION): Vous effectuerez des transactions depuis votre maison; ou vos affaires seront étroitement liées à votre maison de plusieurs façons; ou vous travaillerez énergiquement dans le but d'acquérir une nouvelle demeure.

DAME DE TRÈFLE (CONSULTANT): Vous allez bientôt profiter d'une nouvelle résidence. Une nouvelle maison bien conçue qui vous offrira plus de confort.

VALET DE TRÈFLE (FAMILLE): Des membres de votre famille viendront vivre avec vous; ou vous irez vivre chez eux; ou des parents ou des amis très proches auront une influence importante sur votre situation familiale.

DIX DE TRÈFLE (VOYAGES): Votre prochain déménagement se fera dans une maison plus belle; ou la propriété où vous habitez est vendue. Un changement s'annonce quant à votre lieu de résidence ou votre vie domestique. Il se pourrait que vous vous procuriez une maison de campagne.

NEUF DE TRÈFLE (CHANCE): C'est grâce à la chance que vous trouverez, une fois dans votre vie, la maison de vos rêves. Vous pourriez gagner cette propriété au jeu ou à la bourse; ou vous aurez beaucoup de chance si vous achetez une maison par vous-même. La chance ne se trouve nulle part ailleurs que chez vous.

HUIT DE TRÈFLE (CONSÉCRATION): C'est chez vous que vous achèverez un projet que vous aviez commencé. Si vous êtes entrepreneur, de bonnes affaires sont à prévoir.

SEPT DE TRÈFLE (MESSAGES): Un message vous parvient concernant quelqu'un qui vous contactera; vous semblez aimer les appartements ou la vie en hôtel. Si vous êtes entrepreneur, vous recevrez beaucoup d'appels pour des travaux de construction.

LES PIQUES

AS DE PIQUE (MORT): Une maladie ou une mortalité s'annonce dans votre maison ou votre entourage immédiat ou dans le voisinage; ou d'anciens voisins déménagent au loin; ou des parents quittent leur résidence pour aller s'installer ailleurs.

ROI DE PIQUE (VISITEUR): Un visiteur viendra vous chercher pour rendre visite à un grand malade; ou une ambulance arrive près de chez vous; ou un policier vous rend visite pour obtenir des renseignements sur un accident dont vous avez été le témoin; une visite déplaisante; ou vous recevrez la visite d'une personne pour réparer quelque chose dans la maison: un plombier, un électricien, etc.

DAME DE PIQUE (GRATITUDE): Vous recevrez la visite de quelqu'un d'ingrat; ou une personne déplaisante travaille pour vous.

VALET DE PIQUE (ORIENTATION): Quelqu'un envoie dans votre maison des pensées mauvaises; ou un voleur pourrait pénétrer dans votre propriété. Vérifiez bien vos serrures et vos fenêtres quand vous sortez. On sent chez vous des vibrations néfastes et déprimantes. Détendez-vous et souriez.

DIX DE PIQUE (SOLEIL): Vous devriez faire attention au feu chez vous et aux dommages causés par un incendie; ou vérifiez toutes les sources possibles d'incendie: fils et prises électriques.

NEUF DE PIQUE (DÉCEPTIONS): La perte de votre foyer ou de l'endroit où vous vivez; ou indique le désir de quelque chose de nouveau dans la maison et le retard à l'avoir; ou mécontentement où vous vivez; ou une misérable situation se termine; ou acquisition d'une nouvelle habitation.

HUIT DE PIQUE (PROBLÈMES): Vous devriez faire attention aux chutes possibles dans votre résidence; indique un état d'insatisfaction de l'endroit où vous habitez; ou problèmes à la maison; ou soucis par rapport aux conditions d'habitation; ou ennuis avec le propriétaire ou des locataires ingrats. Concentrez-vous et faites un grand nettoyage.

SEPT DE PIQUE (SANTÉ): Votre vie domestique perturbe votre santé; ou vous vivez des frustrations parce que vous ne pouvez fournir quoi que ce soit pour la maison; ou vous voulez déménager; ou quelqu'un déménage loin de vous et cela vous attriste.

MAISON DES VOYAGES

LES CŒURS

AS DE CŒUR (FOYER): Dans la maison des voyages, cette carte indique un changement de résidence; ou un changement de mobilier ou tout ce qui peut concerner l'intérieur de votre demeure; ou quelqu'un emménage chez vous.

ROI DE CŒUR (PLAISIR et BIEN-ÊTRE): Une personne très agréable fera un voyage pour venir vous voir; sa compagnie vous réjouira et vous passerez de nombreuses et belles heures ensemble.

DAME DE CŒUR (AMITIÉ): Des amis vous appelleront après un voyage pour vous annoncer leur visite. Vous recherchez de la compagnie.

VALET DE CŒUR (CÉLÉBRITÉ): Parce que vous êtes populaire et que les gens vous apprécient, vous serez invité à participer à un voyage de plaisance. Si vous êtes pilote, conducteur de train ou chauffeur d'autobus, vous serez employé de façon régulière.

DIX DE CŒUR (UNION): Vous recevrez la visite de nouveaux mariés; ou des proches, parents ou amis, habitant à l'extérieur vous convieront à une réunion qui vous réjouira. Si vous êtes célibataire, lors de votre mariage, vous effectuerez un voyage pour votre lune de miel.

NEUF DE CŒUR (DÉSIR et SOUHAIT): Votre désir sous-entend un changement, peut-être un voyage; ou un gros bouleversement dans votre vie, comme un déménagement.

HUIT DE CŒUR (LUNE): Vous adorerez un voyage que vous entreprendrez prochainement. Vous pourriez y rencontrer l'âme sœur. Un changement bénéfique.

SEPT DE CŒUR (BONHEUR): Un petit changement à votre avantage vous remplira de plaisir. Ce changement éliminera beaucoup de jalousie. Bientôt, vous vous offrirez une tournée des magasins.

LES CARREAUX

AS DE CARREAU (NOUVEAU PROJET): Vous pourriez changer de travail bientôt; ou si vous vous lancez dans quelque nouvelle aventure ce sera avec succès; ou un déplacement de lieu de travail sera à prévoir.

ROI DE CARREAU (DOCUMENTS JURIDIQUES): Une quelconque procédure légale pourra vous obliger à effectuer un voyage; ou des papiers vous parviendront de loin; ou certains documents, qui vous seront expédiés, vous donneront des nouvelles ou des renseignements que vous désiriez, quelque chose que vous lirez ou signerez.

DAME DE CARREAU (SAISONS): Avant la fin du mois, vous ferez un voyage ou vivrez un changement quelconque qui améliorera votre situation financière.

VALET DE CARREAU (LETTRES): Un document important ou des nouvelles fraîches au sujet d'un changement vous arrivent de loin.

DIX DE CARREAU (ARGENT): Un voyage vous permettra d'obtenir de l'argent; ou en effectuant un voyage vous en rapporterez. L'argent est relié, ici, à un changement ou à un voyage. Si vous voyagez, vous ferez de bonnes affaires.

NEUF DE CARREAU (SURPRISES): Vous serez surpris par un voyage quelconque; soit quelqu'un vous appelle de très loin, soit vous êtes invité à faire un voyage; ou un changement de plan vous surprendra.

HUIT DE CARREAU (HÉRITAGE): L'argent vous arrive de loin; ou, pour réclamer un héritage, vous devrez faire un voyage. Si vous êtes dans le domaine des affaires, l'argent vous viendra de nombreux endroits.

SEPT DE CARREAU (RÉUSSITE): Grâce à un changement de situation ou à un voyage, vous êtes promis au succès; ou si vous comptez faire un voyage, ce sera une réussite et vous n'aurez aucun problème tout au long de ce projet.

MAISON DES VOYAGES

LES TRÈFLES

AS DE TRÈFLE (CADEAU): Un présent est relié à un voyage; ce cadeau pourrait être une nouvelle automobile ou de l'argent pour faire un voyage dont vous rêviez; ou encore on vous proposera un changement de poste ou de travail.

ROI DE TRÈFLE (VOCATION): Si votre travail nécessite des voyages, vous avez beaucoup de pain sur la planche; il se peut aussi que votre prochain travail vous demande des déplacements de toute sorte, ou soit relié de près ou de loin au transport. Cette nouvelle carrière vous conviendra parfaitement; ou il s'agit d'un voyage d'affaires.

DAME DE TRÈFLE (CONSULTANT): Vous devrez faire face à un déplacement, un déménagement ou un revirement de situation très prochainement.

VALET DE TRÈFLE (FAMILLE): Vous recevrez des nouvelles d'un parent; ou une lettre d'une personne actuellement en voyage; ou des proches, parents ou amis, vous annoncent leur arrivée.

DIX DE TRÈFLE (VOYAGES): Un changement majeur s'annonce dans votre vie; vous pourriez être appelé à partir loin de votre lieu de naissance; ou à faire une longue croisière à bord d'un bateau; ou un très long voyage en automobile, en train ou en avion.

NEUF DE TRÈFLE (CHANCE): Si vous avez l'intention de faire un grand changement ou un voyage, profitez-en actuellement, la chance est de votre côté.

HUIT DE TRÈFLE (CONSÉCRATION): Grâce à un travail remarquable, le vôtre ou celui de quelqu'un d'autre, vos conditions de vie vont changer. Ces changements arrivent parce que votre support est toujours présent. Si vous êtes dans le domaine des affaires, les résultats seront excellents.

SEPT DE TRÈFLE (MESSAGES): On communique avec vous pour vous faire part d'un projet de voyage ou pour vous interroger sur un voyage; ou pour vous avertir que quelqu'un arrive; vous pourriez recevoir un appel interurbain.

Celui qui ne s'est jamais expatrié est plein de préjugés.
Carlo Goldoni

LES PIQUES

AS DE PIQUE (MORT): À cause d'un décès, vous devrez faire un voyage; ou on vous annonce la mort d'une personne qui réside loin de chez vous; ou un départ précipité à cause d'un décès; ou vous devrez assister à des funérailles.

ROI DE PIQUE (VISITEUR): Quelqu'un vous appelle pour vous annoncer un décès; ou un policier vous apporte de mauvaises nouvelles concernant une personne que vous connaissez bien et qui aurait eu un accident; ou vous recevez une contravention pour vitesse excessive; ou des visiteurs inattendus arrivent chez vous.

DAME DE PIQUE (GRATITUDE): Vous aurez des ennuis avec des gens pour qui vous vous étiez occupé – ou vous devez vous occuper – d'un voyage; ou après un voyage avec des amis, vous revenez déçu; ou vous serez reconnaissant à quelqu'un pour un changement de situation récent.

VALET DE PIQUE (ORIENTATION): Vous pourriez rencontrer, lors d'un voyage, une personne fourbe; attention aux gens que vous rencontrez ces temps-ci. Si vous faites une carrière professionnelle, vous devrez voyager par avion pour faire des apparitions lors d'événements mondains.

DIX DE PIQUE (SOLEIL): Au cours d'un voyage, vous ferez des recherches sur quelque chose que vous voulez savoir depuis longtemps; un court déplacement est aussi indiqué tard dans l'après-midi ou en soirée.

NEUF DE PIQUE (DÉCEPTIONS): Vous aurez une déception lors d'un voyage ou en ne pouvant effectuer un voyage prévu; ou une grosse perte durant un voyage ou un changement quelconque est imminent; ou il y a du retard dans vos projets de déménagement ou de vente.

HUIT DE PIQUE (PROBLÈMES): De gros ennuis sont prévus lors d'un voyage. Si vous avez l'intention de voyager cette semaine, évitez de le faire; la semaine prochaine, consultez à nouveau le GHPT pour vérifier si le vent tourne en votre faveur.

SEPT DE PIQUE (SANTÉ): Vous ferez un voyage pour rendre visite à un ami malade; ou vous effectuerez un voyage en rapport avec votre santé; ou un nouveau-né arrive dans la famille; ou vous vous inquiétez pour un changement à venir (n'ayez jamais d'inquiétude).

MAISON DES DOCUMENTS JURIDIQUES

LES CŒURS

AS DE CŒUR (FOYER): Dans la maison des documents juridiques, cette carte signifie que vous allez signer un bail, une hypothèque ou tout autre document en rapport avec une transaction immobilière; cela pourrait être seulement un reçu de location, d'achat ou de vente d'une propriété.

ROI DE CŒUR (PLAISIR et BIEN-ÊTRE): Des actions, des bons ou des papiers d'assurances vous ont été remis ou ont été placés pour que vous puissiez les financer aisément par un proche, ami ou parent.

DAME DE CŒUR (AMITIÉ): Un ami vous apportera un document à signer, par exemple un testament.

VALET DE CŒUR (CÉLÉBRITÉ): Grâce à votre popularité, vous pourriez gagner quelque chose en signant des papiers; ou vous signerez un billet pour un ami ou pour un achat. Si vous êtes dans le domaine du spectacle, vous signerez un contrat.

DIX DE CŒUR (UNION): Vous apposerez votre signature au bas d'un contrat de mariage, le vôtre ou celui d'un ami; ou vous signerez, comme témoin, un contrat d'affaires ou un document fusionnant deux firmes.

NEUF DE CŒUR (DÉSIR et SOUHAIT): Vous obtiendrez ce que vous désirez mais ce succès vous amènera à signer des documents.

HUIT DE CŒUR (LUNE): Quelqu'un qui vous aime bien fera son testament en votre faveur ou vous désignera comme bénéficiaire de sa police d'assurance.

SEPT DE CŒUR (BONHEUR): Vous recevrez des documents concernant vos finances qui vous enlèveront un gros poids sur les épaules; cela pourrait être un diplôme ou un relevé de notes; ou un contrat de mariage. De toute façon, il s'agit d'un papier très important.

LES CARREAUX

AS DE CARREAU (NOUVEAU PROJET): Veillez à ce que tous les documents concernant une nouvelle entreprise soient soigneusement rédigés; ou vous signerez un document officiel qui sera nettement en votre faveur.

ROI DE CARREAU (DOCUMENTS JURIDIQUES): Toute poursuite légale que vous aurez ou tout document juridique que vous signerez cette année seront en votre faveur. Vous avez quelque chose à voir, ici, avec des documents officiels.

DAME DE CARREAU (SAISONS): Vous pourriez être appelé à comparaître devant une cour de justice, soit comme témoin ou juré dans un procès, soit pour protéger vos propres intérêts. Un événement où vous devrez être présent à une heure fixée à l'avance; ou une entente d'affaires est conclue.

VALET DE CARREAU (LETTRES): Vous recevrez par la poste un document juridique ou un télégramme à propos d'une action en justice; ou vous suivrez dans les journaux un procès retentissant. Nouvelles importantes reçues par courrier aérien.

DIX DE CARREAU (ARGENT): Vous recevrez de l'argent grâce à une action juridique; dans certains cas vous devrez signer des papiers. Faites très attention à ce que vous signez, vous éviterez des problèmes plus tard. Vous obtiendrez de l'argent en signant des papiers.

NEUF DE CARREAU (SURPRISES): Vous aurez la surprise de recevoir une citation ou une poursuite où vous serez impliqué; ou quelqu'un voudrait vous faire signer un document; ou, si vous êtes secrétaire, on vous offre un poste. (Soyez prudent.)

HUIT DE CARREAU (HÉRITAGE): Vous devrez peut-être aller jusqu'en justice à cause d'un héritage, ou signer des papiers avec l'aide d'un avocat. Si vous êtes secrétaire, vous pourriez travailler pour un médecin ou un avocat.

SEPT DE CARREAU (RÉUSSITE): Votre succès passe par la justice ou les affaires juridiques: des papiers sont à prévoir; ou travaux réussis dans lesquels beaucoup de papiers sont manipulés; vous signerez aussi un document, soit un testament, soit un bail.

MAISON DES DOCUMENTS JURIDIQUES

LES TRÈFLES

AS DE TRÈFLE (CADEAU): Vous recevrez en cadeau des actions, des bons ou des parts dans une affaire; ou on vous donnera des documents enregistrés; ou les papiers jouent un rôle important pour une certaine occasion.

ROI DE TRÈFLE (VOCATION): Vous pourriez avoir des aptitudes pour un travail où l'on signe et où l'on manipule des documents; ou vous décrocherez un poste dans le milieu journalistique; les papiers ont une grande importance dans votre travail ou sont garants de votre avenir.

DAME DE TRÈFLE (CONSULTANT): Des documents de type juridique seront à signer; peut-être savez-vous déjà de quels papiers il s'agit; ou des documents ont été signés pour quelque chose que vous achetez ou que vous vendez.

VALET DE TRÈFLE (FAMILLE): Vous serez compromis avec des parents, des proches collaborateurs ou des amis dans un problème juridique; ou vous serez appelé à témoigner devant une cour de justice.

DIX DE TRÈFLE (VOYAGES): Des documents apporteront un grand changement dans votre vie, comme la vente de votre maison, d'un terrain ou d'une propriété; ou vous devrez faire un voyage pour régler des problèmes juridiques ou vendre une propriété; ou un contrat à remanier.

NEUF DE TRÈFLE (CHANCE): Un investissement heureux ou un document quelconque perturbera votre quotidien; ou la chance vous sourit dans une action en justice; une chose qui concerne le domaine juridique.

HUIT DE TRÈFLE (CONSÉCRATION): Papiers et affaires vont de pair; vous achetez ou vendez une affaire ou quelque chose avec lequel vous réalisez un profit substantiel. Ceci concerne aussi la source de votre soutien financier. Faites de bonnes affaires!

SEPT DE TRÈFLE (MESSAGES): Vous recevrez un message au sujet d'un document quelconque; ou vous signez pour un colis que vous recevrez; ou vous avez une conversation téléphonique au sujet d'un contrat ou de la signature d'un papier.

N'encouragez pas les litiges. Chaque fois que vous le pouvez, essayez de persuader vos voisins de faire des compromis.

Abraham Lincoln

LES PIQUES

AS DE PIQUE (MORT): Vous apprendrez par les journaux le décès d'un ami ou d'une personne célèbre; ou vous signerez des documents relatifs à la mort de quelqu'un; ou vous vous occuperez des papiers d'une personne décédée; ou, en son absence, vous prendrez part à l'administration des affaires d'une personne.

ROI DE PIQUE (VISITEUR): Des visiteurs vous parlent d'une chose vue dans les journaux; ou vous recevez la visite de quelqu'un que vous n'aimez pas; ou on veut vous faire signer un billet; ou un vendeur, que vous préféreriez ne pas voir, insiste pour vous vendre quelque chose.

DAME DE PIQUE (GRATITUDE): Une personne ingrate essaie d'obtenir une faveur, comme apparaître dans votre testament ou devenir le bénéficiaire de vos assurances; ou vous serez reconnaissant à une personne de vous avoir aidé dans vos travaux scolaires ou à signer un document.

VALET DE PIQUE (ORIENTATION): Vous pourriez avoir des problèmes juridiques avec des papiers d'assurance; ou on cherche à vous extorquer quelque chose qui vous revient de droit par contrat, soyez vigilant; ou des nouvelles que vous attendiez vous arrivent par avion.

DIX DE PIQUE (SOLEIL): Vous pourriez signer un contrat de mariage en tant que témoin; ou vous retrouvez un document que vous aviez égaré depuis longtemps. Gardez vos papiers dans un endroit sûr. Le soleil brillera enfin pour vous après la signature de certains documents...

NEUF DE PIQUE (DÉCEPTIONS): Vous pourriez perdre un document important; ou vous signerez incorrectement un papier, ce qui occasionnera une grosse perte; ou un retard empêchera la conclusion d'une affaire. Un avocat pourrait vous être utile à la signature de documents importants.

HUIT DE PIQUE (PROBLÈMES): Vous aurez des ennuis avec un document qui concerne le domaine scolaire: vous pourriez échouer à un examen; ou la signature d'un papier vous amènera des problèmes; ou vous égarez un papier important.

SEPT DE PIQUE (SANTÉ): Vous serez perturbé par la lecture d'un journal; ou la maladie d'une personne vous attristera; ou vous assisterez comme témoin à la signature d'un testament; ou vous devrez rendre visite à votre dentiste ou à votre médecin. Reprenez courage!

MAISON DE LA VOCATION

LES CŒURS

AS DE CŒUR (FOYER): Dans la maison de la vocation, cette carte indique que tous les travaux qui pourront être faits à votre domicile devraient vous rapporter; ou vous aimerez beaucoup le travail à la maison.

ROI DE CŒUR (PLAISIR et BIEN-ÊTRE): Vous devriez entretenir un climat de gaieté et de joie dans votre travail, cela vous aiderait beaucoup; ou votre travail sera pour des gens agréables; ou vous travaillez avec des collègues qui aiment rire; ou vous rendez plaisant ce que vous faites.

DAME DE CŒUR (AMITIÉ): C'est dans l'exercice de votre profession que vous trouverez les amis dont vous avez besoin; ou c'est un ami qui vous donnera un emploi si vous êtes sans travail; ou par l'intermédiaire d'une agence vous obtiendrez un très bon poste.

VALET DE CŒUR (CÉLÉBRITÉ): Ce que vous faites au travail est très apprécié; ou vous travaillez dans un domaine qui est très populaire auprès du public. Peut-être dans l'industrie cinématographique.

DIX DE CŒUR (UNION): Si vous êtes sans emploi, la fusion de deux firmes vous permettra de retrouver un emploi; ou, si vous travaillez, une augmentation vous est accordée; ou, si vous êtes célibataire, vous changerez d'emploi grâce à votre mariage; ou vous pourriez devenir associé dans la compagnie où vous travaillez.

NEUF DE CŒUR (DÉSIR et SOUHAIT): Si vous désirez trouver un emploi, votre souhait sera bientôt exaucé; ou vous obtiendrez beaucoup mieux que ce que vous avez actuellement. Votre souhait se réalise.

HUIT DE CŒUR (LUNE): Si vous travaillez, vous adorerez ce que vous êtes en train de faire actuellement; ou, si vous commencez un nouvel emploi, il vous remplira de satisfaction.

SEPT DE CŒUR (BONHEUR): Vous serez très satisfait d'une proposition qui vous sera faite vous offrant un nouveau poste ou un nouveau travail; ou une augmentation vous sera offerte; ou vous montez dans la hiérarchie sociale.

LES CARREAUX

AS DE CARREAU (NOUVEAU PROJET): Vous devriez commencer un nouveau projet; ou quelque chose de nouveau vous attend dans votre carrière. C'est un nouveau départ!

ROI DE CARREAU (DOCUMENTS JURIDIQUES): Vous seriez excellent dans la carrière militaire ou comme professeur, juge, ou à la tête d'une organisation ou toute position où vos talents de chef sont requis; ou vous serez employé par une personne que la fortune favorise.

DAME DE CARREAU (SAISONS): Le travail qui vous conviendrait le mieux demande de la patience et du temps; ou, si vous êtes au chômage, on vous proposera bientôt un poste ou un travail équivalent; ou vous changerez d'emploi.

VALET DE CARREAU (LETTRES): Ce qui vous caractérise le mieux, c'est votre rapidité à accomplir votre tâche, rapidité d'esprit et d'action; ou vous brillerez à un emploi où les choses doivent être exécutées avec précision; ou vous pourriez travailler dans le monde des communications.

DIX DE CARREAU (ARGENT): Votre vocation, présente ou future, vous permettra de «faire de l'argent»; ou vous œuvrerez dans le domaine bancaire ou dans la vente des actions, des bons ou des titres, tous ces endroits où l'argent provient de la manipulation de documents.

NEUF DE CARREAU (SURPRISES): Une bonne surprise vous attend au travail et quelque chose de meilleur se prépare; ou, si vous cherchez un emploi, on vous en proposera un excellent sans que vous n'ayez fait aucune démarche; ou vous serez surpris par une offre qui vous sera faite.

HUIT DE CARREAU (HÉRITAGE): Il va vous arriver, pour la première fois de votre vie, de prendre le poste d'une personne décédée; ou vous hériterez d'une affaire ou de parts dans une affaire, ou encore d'une rente.

SEPT DE CARREAU (RÉUSSITE): Beaucoup de succès pour vous en perspective; ou vous vous lancerez dans quelque chose qui vous apportera le succès; ou vous créerez votre propre entreprise; ou succès garanti dans votre emploi.

MAISON DE LA VOCATION

LES TRÈFLES

AS DE TRÈFLE (CADEAU): Vous êtes une personne douée et, si vous faites usage de vos dons à bon escient, le succès vous est garanti. Si vous êtes employé, vous vendrez de menus objets.

ROI DE TRÈFLE (VOCATION): Une nouvelle carrière vous attend et vous pourriez y réussir. Si vous êtes sans travail, vous en aurez un bientôt; ou vous êtes un travailleur infatigable et intègre et une grande quantité de travaux vous attend.

DAME DE TRÈFLE (CONSULTANT): Beaucoup de travail en perspective; ou vous aimez travailler; ou vous orienterez votre travail dans une nouvelle direction. Le travail et les affaires vous attendent.

VALET DE TRÈFLE (FAMILLE): Votre profession est reliée à des membres de votre famille; ou vous travaillerez pour eux; ou vous travaillerez ou ferez quelque chose pour leur plaire.

DIX DE TRÈFLE (VOYAGES): Votre profession a quelque chose à voir avec les voyages; ou vous changerez souvent d'emploi durant votre vie; ou vous travaillerez à la même chose en divers endroits ou en plusieurs fois; ou vous serez appelé à voyager loin pour votre travail. Votre futur emploi fait appel à l'espace et à la distance.

NEUF DE TRÈFLE (CHANCE): La chance vous accompagnera dans tout ce que vous ferez, enrichissant votre vie. Chance et travail sont là pour vous.

HUIT DE TRÈFLE (CONSÉCRATION): Vous êtes sur le point d'accomplir quelque chose de très important sur le plan professionnel, un avenir brillant dans ce que vous faites ou ferez vous attend; un bon travail ou d'excellentes affaires sont en route.

SEPT DE TRÈFLE (MESSAGES): On vous appellera pour vous offrir un travail; ou pour parler affaires avec vous. Un message qui concerne quelque chose que vous êtes en train de faire ou d'étudier.

Chaque personne a sa propre vocation,
c'est à ses talents qu'on la reconnaît.
Ralph Waldo Emerson

LES PIQUES

AS DE PIQUE (MORT): Tout au long de votre vie, vous voudrez suivre des voies dangereuses, par exemple devenir aviateur, pilote de voitures de courses ou travailler avec des explosifs et des produits chimiques ou sur les fils à haute tension ou tout autre métier qui comporte des risques. Soyez prudent, cependant, à votre travail.

ROI DE PIQUE (VISITEUR): Quelqu'un essaie de changer votre façon de faire, à votre travail; ou un visiteur réclame vos services. Ne vous laissez pas influencer.

DAME DE PIQUE (GRATITUDE): Des parents grognons retardent vos projets; ou vous vous sentez gêné par le manque d'argent; ou les gens n'apprécient pas vos loyaux services ou ce que vous faites pour eux.

VALET DE PIQUE (ORIENTATION): Ne penser qu'à ce que vous aimeriez faire ne vous mènera nulle part. Concentrez-vous sur ce que vous voulez faire et passez à l'action. Saisissez les occasions quand elles passent ou elles vous fileront entre les doigts. Soyez ouvert à ce qui se présente.

DIX DE PIQUE (SOLEIL): Assurez-vous que tout est clair et limpide dans votre profession, ou que votre travail ne profite pas à un personnage douteux ou à un escroc. Vous pourriez être compromis. Vous découvrirez quelque chose de malhonnête. Si vous êtes jardinier, beaucoup de travail vous attend. Si vous êtes un ouvrier, vous serez régulièrement employé dans un endroit où l'on utilise, ou fabrique, un éclairage brillant.

NEUF DE PIQUE (DÉCEPTIONS): Vous êtes déçu par les résultats d'un travail; ou le fait de ne pas travailler vous dérange; une perte d'emploi est indiquée; ou un retard dans l'achèvement d'un travail.

HUIT DE PIQUE (PROBLÈMES): Si vous êtes sans travail, vous aurez des problèmes pour trouver quelque chose à faire; ou vous devrez surmonter d'importants obstacles dans votre travail. Luttez et vous gagnerez!

SEPT DE PIQUE (SANTÉ): Vous êtes confronté, dans votre travail, à la maladie, la vôtre ou celle d'un proche; vous pourriez être retardé par les soins à donner à une personne invalide. Si vous êtes médecin ou infirmier, vous ne manquerez pas de patients.

MAISON DE L'UNION

LES CŒURS

AS DE CŒUR (FOYER): Dans la maison de l'union, cette carte indique que, si vous êtes célibataire, vous pourriez vous marier bientôt et fonder un nouveau foyer. Si vous êtes déjà marié, un changement s'annonce, soit un déménagement, soit une nouvelle maison, soit quelqu'un vient vivre avec vous.

ROI DE CŒUR (PLAISIR et BIEN-ÊTRE): Si vous êtes marié, vous devriez être heureux en ménage, si vous vivez seul, vous rencontrerez une personne agréable qui vous offrira de partager sa vie.

DAME DE CŒUR (AMITIÉ): Un ami ou un membre de votre famille se mariera bientôt, quelqu'un de très proche de vous, comme une tante.

VALET DE CŒUR (CÉLÉBRITÉ): Vous serez invité au mariage d'une personne très connue et vous assisterez à la cérémonie.

DIX DE CŒUR (UNION): Si vous êtes célibataire, il est à peu près certain que vous ne le resterez plus très longtemps; ou si vous avez des enfants en âge de convoler, l'un d'entre eux se mariera; ou quelqu'un de très proche «se met la corde au cou»; ou vous assisterez à une rencontre de vieux amis ou à une réunion de famille.

NEUF DE CŒUR (DÉSIR et SOUHAIT): Si votre désir se rapporte à votre mariage ou au retour de quelqu'un, vous serez comblé.

HUIT DE CŒUR (LUNE): Si vous êtes seul, votre vie se remplira d'amour bientôt et un mariage pourrait bien suivre; si vous êtes déjà marié, votre conjoint vous manifestera son amour.

SEPT DE CŒUR (BONHEUR): Vous assisterez à un mariage et vous aurez beaucoup de plaisir à partager lors de cette cérémonie.

LES CARREAUX

AS DE CARREAU (NOUVEAU PROJET): C'est grâce au succès obtenu avec un nouveau projet que vous vous marierez; ou un mariage se présentera comme un nouveau projet; ou vous contracterez une alliance dans une nouvelle aventure professionnelle.

ROI DE CARREAU (DOCUMENTS JURIDIQUES): Vous serez appelé à signer un contrat de mariage, le vôtre ou celui de quelqu'un d'autre. Si vous êtes marié, vous pourriez avoir à signer, en présence d'un notaire ou d'un avocat, un document se rapportant aux affaires de votre conjoint.

DAME DE CARREAU (SAISONS): Si vous n'êtes pas marié avant que la saison ne s'achève, vous aurez une offre d'union très prochainement; ou vous assisterez au mariage d'un ami.

VALET DE CARREAU (LETTRES): Vous recevrez l'annonce d'un mariage ou des nouvelles de jeunes mariés; ou nouvelles d'une fugue amoureuse.

DIX DE CARREAU (ARGENT): C'est grâce à votre mariage que vous obtiendrez de l'argent; votre conjoint réussira avec votre aide; ou vous contracterez un mariage d'argent ou un riche mariage.

NEUF DE CARREAU (SURPRISES): Vous serez surpris par l'annonce du mariage de personnes âgées; ou vous entendrez parler du mariage de quelqu'un dont vous ne pensiez jamais qu'il se marierait un jour; ou une proposition vous surprendra.

HUIT DE CARREAU (HÉRITAGE): Vous assisterez à un mariage; ou vous contracterez alliance avec une personne âgée de votre famille, pour pouvoir prendre soin d'elle par exemple; vous hériterez d'un montant d'argent ou de bijoux ou de biens personnels.

SEPT DE CARREAU (RÉUSSITE): Si vous êtes marié, votre vie pourrait être une réussite; votre conjoint sera aimable et fidèle.

MAISON DE L'UNION

LES TRÈFLES

AS DE TRÈFLE (CADEAU): Vous offrirez un cadeau de mariage ou vous en recevrez un; ou un cadeau pour toute la famille vous sera offert.

ROI DE TRÈFLE (VOCATION): Si vous êtes célibataire, votre nouvelle vocation sera de garder la maison; ou, grâce à votre mariage ou à la réunion de plusieurs affaires, vous changerez de profession; ou vous obtiendrez un poste avec des nouveaux mariés; ou vous prendrez la place de quelqu'un qui se marie.

DAME DE TRÈFLE (CONSULTANT): Si vous êtes célibataire, vous vous marierez bientôt; ou il y a un mariage dans votre famille ou dans votre entourage; ou vous prendrez part à un mariage ou à une alliance quelconque.

VALET DE TRÈFLE (FAMILLE): Un mariage est à prévoir parmi vos proches; une jeune personne ou un parent vous rend visite; ou une naissance est annoncée.

DIX DE TRÈFLE (VOYAGES): Une lune de miel est à prévoir si vous êtes célibataire; ou, si vous êtes marié, vous ferez un voyage avec votre amoureux; ou un déplacement pour vous permettre de rencontrer une personne aimée; ou une réunion entre proches ou entre amis.

NEUF DE TRÈFLE (CHANCE): Votre mariage se révélera marqué par la chance et votre conjoint vous gâtera sur le plan matériel; ou si vous êtes seul, vous vous marierez bientôt.

HUIT DE TRÈFLE (CONSÉCRATION): Votre mariage dépend de ce que vous êtes en train de faire; ou vous réaliserez quelque chose grâce à votre conjoint; ou un mariage pour raison d'affaires seulement; ou la réunion de plusieurs affaires par un mariage.

SEPT DE TRÈFLE (MESSAGES): Vous recevrez une invitation pour assister à un mariage; ou vous entendrez parler d'une fugue amoureuse ou d'un mariage. Si vous êtes dans les affaires, vous pourriez apprendre l'association de plusieurs firmes, ce qui profitera à vos propres affaires.

LES PIQUES

AS DE PIQUE (MORT): Un décès pourrait vous séparer de quelqu'un avec qui vous aviez des liens maritaux, familiaux ou amicaux de longue date; ou un divorce ou une séparation irréversible entre deux personnes qui s'aimaient.

ROI DE PIQUE (VISITEUR): Un parent ou un ami qui vous appelle essaiera de briser votre ménage; ou on vous appellera pour vous entretenir de projets de mariages; ou, en vous associant avec certaines personnes, vous pourriez être arrêté. Faites attention aux amis que vous vous faites.

DAME DE PIQUE (GRATITUDE): Si vous êtes marié, vous devrez vous attendre à de l'ingratitude de la part de votre belle-famille; ou de la part de gens qui vous sont associés de près; ou votre famille vous est très reconnaissante.

VALET DE PIQUE (ORIENTATION): Une personne intrigante et habile pourrait essayer de briser votre ménage ou votre idylle. Surveillez votre groupe d'amis; peut-être une nouvelle connaissance. Tromperies de toute sorte sont à prévoir.

DIX DE PIQUE (SOLEIL): Le soleil ne brillera pas tous les jours sur votre mariage; vous découvrirez aussi quelque chose à propos d'un associé qui vous obligera à le réprimander.

NEUF DE PIQUE (DÉCEPTIONS): Une sérieuse déception vous attend face au mariage; ou vous avez perdu quelqu'un dans votre maison à cause d'un mariage; ou vous divorcerez; ou un compagnon est emporté par la mort. Une déception reliée au mariage; ou un retard dans des projets de mariage.

HUIT DE PIQUE (PROBLÈMES): Vous aurez des problèmes dans votre ménage à cause de l'argent ou de la famille; ou vous jouerez le rôle de conciliateur entre personnes mariées; ou vous aurez une brouille avec des amis; ou vous souhaitez qu'un invité s'en aille.

SEPT DE PIQUE (SANTÉ): Votre santé ou celle de quelqu'un d'autre perturbera votre ménage; ou vous êtes triste après votre mariage, pas obligatoirement à cause de votre conjoint, mais cela pourrait provenir d'ennuis pécuniaires. Réjouissez-vous, les beaux jours arrivent.

MAISON DU BONHEUR

LES CŒURS

AS DE CŒUR (FOYER): Dans la maison du bonheur, cette carte signifie que votre plus grand bonheur pourrait venir de votre vie familiale, d'une maison agréable et d'un conjoint prospère.

ROI DE CŒUR (PLAISIR et BIEN-ÊTRE): Le bonheur naît souvent de la bonté et de l'amour; mais il vient aussi de votre amoureux, votre femme, votre mari ou de vos enfants.

DAME DE CŒUR (AMITIÉ): L'assurance d'avoir de bons amis vous réchauffe le cœur; ou vous êtes le neveu préféré d'une de vos tantes; si vous êtes seul, l'admiration vous vient d'un beau garçon ou d'une charmante jeune fille.

VALET DE CŒUR (CÉLÉBRITÉ): Votre réussite sociale est garante de votre bonheur auprès de vos amis et associés. Si vous êtes jeune et que vous aspirez à une carrière théâtrale, la renommée vous apportera le bonheur en temps voulu.

DIX DE CŒUR (UNION): L'approche d'un mariage vous remplira de bonheur; il s'agit soit du vôtre, si vous êtes célibataire, soit de celui d'un ami très proche ou d'un parent. Une union heureuse ou un mariage réussi.

NEUF DE CŒUR (DÉSIR et SOUHAIT): Votre souhait pourrait vous apporter beaucoup de bonheur s'il se réalise. Vous devriez réaliser votre souhait.

HUIT DE CŒUR (LUNE): Votre bonheur est intimement lié au respect et à l'amour dont vous gratifie votre entourage. Si vous vivez seul, une promesse vous réjouira le cœur.

SEPT DE CŒUR (BONHEUR): Vous pouvez être assuré que le bonheur ne vous oubliera pas, et cela risque de durer longtemps! Ne laissez pas la jalousie assombrir votre ciel. Si vous êtes célibataire, une certaine bague vous guette...

Le plaisir dans ce monde, quand il arrive,
n'arrive que par hasard. En faire l'objet
d'une poursuite, c'est s'engager dans une
course aux chimères.

Nathaniel Hawthorne, «Journaux», 21 octobre 1852.

LES CARREAUX

AS DE CARREAU (NOUVEAU PROJET): Quelque chose que vous avez fait ou que vous êtes en train de faire vous apportera joie et bonheur; vous pourriez aussi trouver le bonheur dans l'aide ou le dévouement aux autres.

ROI DE CARREAU (DOCUMENTS JURIDIQUES): Quelque chose qui a un rapport avec le droit (papiers, contrat, etc.) aura une influence heureuse sur votre vie; ou le bonheur passera par l'amitié. Si vous êtes seul, une association est prévue avec des personnes poursuivant une carrière dans le domaine professionnel.

DAME DE CARREAU (SAISONS): Vous n'avez pas beaucoup de patience surtout lorsque vous devez attendre pour un rendez-vous; le temps aura beaucoup d'influence sur votre bonheur futur.

VALET DE CARREAU (LETTRES): Vous recevrez des nouvelles fraîches qui vous réchaufferont le cœur. Une lettre d'amour ou une invitation.

DIX DE CARREAU (ARGENT): Votre bonheur sera lié à une réalisation qui vous apportera pas mal d'argent; ou vous réussissez à épargner pour des jours plus sombres.

NEUF DE CARREAU (SURPRISES): Dans une semaine ou moins, vous aurez une très agréable surprise.

HUIT DE CARREAU (HÉRITAGE): Un héritage reçu vous réjouira; votre bonheur viendra aussi d'une agréable demeure, d'un conjoint prospère et d'un revenu stable.

SEPT DE CARREAU (RÉUSSITE): Succès et bonheur vous attendent; vous devriez être parfaitement bien avec vos associés ou lorsque vous voyagez.

MAISON DU BONHEUR

LES TRÈFLES

AS DE TRÈFLE (CADEAU): Un cadeau que vous recevrez vous remplira de joie; ce sera quelque chose de magnifique.

ROI DE TRÈFLE (VOCATION): D'être employé vous réjouit le cœur; ou votre travail vous apporte le bonheur; ou vous vous réalisez à travers votre vocation.

DAME DE TRÈFLE (CONSULTANT): Beaucoup de bonheur vous attend.

VALET DE TRÈFLE (FAMILLE): Votre bonheur est influencé par les membres de votre famille; s'ils interfèrent dans votre vie – comme votre belle-mère par exemple ou toute autre sorte d'interférence – tenez-vous le plus loin possible de leur champ d'action.

DIX DE TRÈFLE (VOYAGES): Votre plus grand bonheur, vous l'éprouvez en voyage. Visitez le monde si vous le pouvez. Pierre qui roule n'amasse pas mousse, mais elle y gagne une belle patine. Le plaisir est conditionnel au changement, mais au bon changement! Possibilité d'achat ou de vente d'une propriété.

NEUF DE TRÈFLE (CHANCE): Un gros coup de chance très prochainement vous rendra radieux et vous fera très plaisir.

HUIT DE TRÈFLE (CONSÉCRATION): Vous devriez être très heureux au travail ou grâce à la réalisation d'une chose importante; ou d'excellentes affaires.

SEPT DE TRÈFLE (MESSAGES): Vous serez invité un peu partout et fier de l'être; ou vous recevrez un message de quelqu'un qui n'a pas l'air de vous déplaire.

Nous considérons que les gens heureux sont ceux qui ont appris par expérience à supporter les peines sans y succomber.

Juvenal

LES PIQUES

AS DE PIQUE (MORT): Vous serez soulagé d'apprendre le décès de quelqu'un de très proche de vous mais qui souffrait depuis longtemps; ou la mort d'une personne chère vous remplit de tristesse. Des larmes sont à prévoir. La disparition d'une personne coléreuse ou de conditions difficiles ramènera la joie de vivre.

ROI DE PIQUE (VISITEUR): On vient vous faire part d'une arrestation ou d'un emprisonnement; ou vous récupérez un objet qu'on vous avait dérobé; justice vous est rendue pour un méfait; ou vous recevez la visite d'une personne que vous êtes content de voir.

DAME DE PIQUE (GRATITUDE): Une personne reconnaissante vous exprimera sa gratitude pour un service qu'on lui a rendu.

VALET DE PIQUE (ORIENTATION): Un représentant essaiera de vous vendre quelque chose que vous ne voulez pas; ou un prétendant qui vous déplaît vous relance; ou vous êtes déçu par la pauvreté des émissions de radio ou de télévision.

DIX DE PIQUE (SOLEIL): Les gens vous appelleront pour essayer de vous tirer les vers du nez, pour avoir des renseignements sur vos affaires par exemple. Restez en dehors des commérages. Ou le soleil brillera à nouveau lorsque vous recevrez la visite d'une personne que vous n'aviez pas vue depuis longtemps.

NEUF DE PIQUE (DÉCEPTIONS): Une personne sur la visite de qui vous comptiez ou avec qui vous deviez manger vous fait faux bon; ou une réunion d'affaires est retardée; ou il vous arrive quelque chose d'assez inattendu; ou vous entendez parler de quelque chose qui risque de vous déranger beaucoup.

HUIT DE PIQUE (PROBLÈMES): Vous êtes vraiment malheureux lorsque vous n'évoluez pas dans votre propre spécialité; vous aurez des ennuis avec un visiteur. Quelque chose de désagréable est reliée à une personne qui vous appellera. Discussion houleuse.

SEPT DE PIQUE (SANTÉ): Le fait d'être en bonne santé vous réjouira; ou vous serez vraiment malheureux à cause de votre habillement médiocre, c'est d'ailleurs ce qui vous dérange le plus. Procurez-vous de nouveaux vêtements si vous en avez besoin, cela vous remontera le moral.

MAISON DU PLAISIR

LES CŒURS

AS DE CŒUR (FOYER): Dans la maison du plaisir, cette carte indique que vous apportez la joie, partout où vous allez; ou que vous serez invité chez quelqu'un; ou que vous appréciez une maison confortable.

ROI DE CŒUR (PLAISIR et BIEN-ÊTRE): La joie et le bonheur qui vous habitent vous sont inspirés par la gaieté de la personne qui vous aime; ou lorsque vous êtes en compagnie de certaines personnes. C'est un signe éclatant que le bonheur est là pour vous.

DAME DE CŒUR (AMITIÉ): Des amis qui vous aiment vous invitent continuellement, pour votre plus grand plaisir; ou vous appréciez la compagnie de vos amis; ou une tante vous adore et prend vos intérêts à cœur.

VALET DE CŒUR (CÉLÉBRITÉ): Vous appréciez la popularité et aimez vous entourer de personnes connues. Si vous êtes jeune, vous aurez un certain goût pour la notoriété.

DIX DE CŒUR (UNION): Vous avez beaucoup de plaisir aux mariages ou aux réceptions de vos amis. Vous aimez la compagnie.

NEUF DE CŒUR (DÉSIR et SOUHAIT): Si vous avez souhaité quelque chose qui se rapporte au plaisir, votre désir devrait être exaucé; vous aimez aussi les beaux vêtements.

HUIT DE CŒUR (LUNE): Si vous êtes célibataire, vous serez aimé par une personne dont la compagnie vous réjouit le cœur. Si vous êtes marié, vos amis vous aiment beaucoup et profitent de votre présence.

SEPT DE CŒUR (BONHEUR): Beaucoup d'invitations qui vous font très plaisir vous parviendront ce mois-ci; quelques nouveaux vêtements viendront égayer votre garde-robe.

C'est assez difficile de savoir ce qui engendre le bonheur.
La pauvreté et la richesse ont toutes deux échoué.

Kim Hubbard

LES CARREAUX

AS DE CARREAU (NOUVEAU PROJET): Vous serez très satisfait de quelque chose que vous avez accompli; ou vous êtes invité à une partie de cartes ou à un rendez-vous galant; ou vous pourriez être appelé à travailler dans une entreprise qui se spécialise dans les divertissements publics.

ROI DE CARREAU (DOCUMENTS JURIDIQUES): Vous recevrez une invitation à une réception donnée à l'occasion de l'annonce d'un événement important (mariage, naissance); ou vous pourriez aussi recevoir un cadeau sous forme de document qui nécessitera un enregistrement.

DAME DE CARREAU (SAISONS): À l'occasion, vous vous joindrez à un organisme de charité où vous organiserez des spectacles ou des dîners dans le but de recueillir des fonds pour une bonne cause; ou prochainement vous servirez un tel dîner.

VALET DE CARREAU (LETTRES): Vous recevrez une invitation soit pour aller danser, soit pour un mariage, soit encore pour assister à une pièce de théâtre. Vous vous amuserez follement.

DIX DE CARREAU (ARGENT): Vous aurez le plaisir d'apprendre qu'une somme d'argent vous revient; vous aurez aussi de nombreuses invitations de la part d'amis très à l'aise financièrement.

NEUF DE CARREAU (SURPRISES): Une surprise-partie est organisée en votre honneur; ou vous pourriez participez à une randonnée, à une promenade à cheval, à une baignade, à une activité pédestre ou à un pique-nique. Une très agréable surprise.

HUIT DE CARREAU (HÉRITAGE): On vous fera un cadeau qui vous rendra très heureux, comme un bijou ou une chose que vous désiriez depuis longtemps; ou peut-être un héritage.

SEPT DE CARREAU (RÉUSSITE): Votre propre réussite ou celle d'une autre personne vous donnera beaucoup de joie; une rencontre lors d'une réception en plein air préparera votre future réussite.

MAISON DU PLAISIR

LES TRÈFLES

AS DE TRÈFLE (CADEAU): Un cadeau que vous recevrez et pourrez partager avec les autres vous remplira de joie, comme une nouvelle voiture ou un poste de télévision par exemple; quelque chose que les autres pourront partager.

ROI DE TRÈFLE (VOCATION): Tout ce que vous faites vous réjouit le cœur; ou votre aide sera requise pour un travail d'accueil ou de distraction, incluant la possibilité d'être membre d'un comité d'organisation pour les banquets ou de jouer un rôle actif dans un spectacle.

DAME DE TRÈFLE (CONSULTANT): Beaucoup de bonheur vous attend; des tas d'invitations. On vous appelle et on vous rend visite.

VALET DE TRÈFLE (FAMILLE): Votre bonheur passe par celui de votre famille; vos enfants ou vos amis illuminent votre vie.

DIX DE TRÈFLE (VOYAGES): La rage d'acheter vous tient et vous êtes très satisfait de vos emplettes; ou vous faites de bonnes affaires à des prix intéressants; ou un voyage vous enchantera.

NEUF DE TRÈFLE (CHANCE): Plusieurs coups de chance vous apporteront beaucoup de plaisir; ou vous rencontrerez de très bons amis qui vous distrairont.

HUIT DE TRÈFLE (CONSÉCRATION): La chance vous sourit au travail ou dans les affaires; ou il va vous arriver quelque chose qui vous aidera; ou une chose vous apportera de grandes joies.

SEPT DE TRÈFLE (MESSAGES): Vous recevrez de nombreux messages, appels téléphoniques ou invitations qui témoignent de l'attachement qu'on vous porte.

L'homme n'a besoin que de logique pour trouver son chemin
et de fades substances pour se maintenir en vie, mais
Dieu lui a donné esprit, saveurs, couleurs,
rires et parfums pour alléger son long pèlerinage
et faire de ses pas une danse au-dessus du marbre brûlant.

Sydney Smith

LES PIQUES

AS DE PIQUE (MORT): Vous vous réjouirez de la fin d'un engagement personnel, comme le dernier paiement d'un acte de vente ou d'un emprunt; ou la fin d'une charge quelconque.

ROI DE PIQUE (VISITEUR): Certains visiteurs – comme une personne ivre qui vient chez vous – vous dérangent beaucoup; ou vous assistez à une réception où quelqu'un est tellement saoul qu'il faut appeler la police; ou l'appel d'un vieil ami vous réjouit le cœur.

DAME DE PIQUE (GRATITUDE): Être reconnaissant, même pour des choses mineures, vous amènera un grand bonheur dans votre vie; développez des habitudes de reconnaissance.

VALET DE PIQUE (ORIENTATION): Quelqu'un pense à vous et prévoit vous inviter à un endroit que vous aimez bien; méfiez-vous d'une personne susceptible de vous causer beaucoup de chagrin en se servant de la flatterie; vous pourriez être amené à visiter une station de radio ou de télévision.

DIX DE PIQUE (SOLEIL): Les sports de plein air pourraient vous faire le plus grand bien; le grand air et le soleil vous rendent heureux.

NEUF DE PIQUE (DÉCEPTIONS): Vous vous rendrez quelque part avec l'idée de passer une bonne soirée et vous serez vraiment déçu: la musique n'est pas à votre goût et la nourriture de mauvaise qualité; ou vous pourriez perdre quelque chose dans un lieu de divertissement et vous sentir très mal; ou un rendez-vous est reporté à plus tard.

HUIT DE PIQUE (PROBLÈMES): Si vous décidez de sortir pour vous amuser un peu, vous aurez des ennuis mécaniques; ou la personne qui vous accompagne vous fait un affront (vous devez régler son addition ou elle vient vous chercher en patins à roulettes); ou vous avez des ennuis avec quelqu'un lors d'une sortie.

SEPT DE PIQUE (SANTÉ): Vous pourriez jouir d'une bonne santé durant toute l'année; prenez-en soin cependant. Si vous êtes malade, vous êtes sur la voie de la guérison; ou votre plaisir est gâché par une mauvaise santé. Courage! Le temps arrange bien des choses.

MAISON DES MESSAGES

LES CŒURS

AS DE CŒUR (FOYER): Dans la maison des messages, cette carte signifie que vous aurez des renseignements au sujet de l'endroit où vous habitez ou d'une chose que vous avez achetée pour la maison.

ROI DE CŒUR (PLAISIR et BIEN-ÊTRE): Vous recevrez un message d'une personne qui vous invite à un dîner; ou un message d'un homme de loi ou d'un médecin; un message important.

DAME DE CŒUR (AMITIÉ): Vous recevrez un message de vos amis qui vous raconteront toutes les choses intéressantes qu'ils sont en train de vivre et vous demanderont de venir vous joindre à eux. Un message agréable; une course aux emplettes.

VALET DE CŒUR (CÉLÉBRITÉ): Vous recevrez une invitation pour aller à certains endroits parce que vous êtes populaire; ou vous serez en compagnie de quelques personnes très connues.

DIX DE CŒUR (UNION): Un message vous informe d'une fugue amoureuse ou d'un mariage.

NEUF DE CŒUR (DÉSIR et SOUHAIT): Si vous avez souhaité avoir des nouvelles de quelqu'un, rapidement, votre souhait se réalisera. Vous recevrez aussi un message concernant votre vœu.

HUIT DE CŒUR (LUNE): Vous recevrez un message de quelqu'un qui vous aime. Un message d'amour.

SEPT DE CŒUR (BONHEUR): Un message tout à fait inattendu vous parvient et apporte le bonheur avec lui. Quelque chose de très bon.

LES CARREAUX

AS DE CARREAU (NOUVEAU PROJET): Vous recevrez un message vous offrant un nouveau travail, un nouveau poste ou une proposition d'affaires.

ROI DE CARREAU (DOCUMENTS JURIDIQUES): Si vous êtes écrivain, vous recevrez un appel téléphonique au sujet d'articles, d'activités, etc.; si vous êtes un artiste, un appel au sujet de l'art; ou si vous êtes dans les affaires, un appel au sujet d'un investissement. Des renseignements sur quelque chose qui est utilisé dans la vie de tous les jours et où le papier tient une grande place.

DAME DE CARREAU (SAISONS): Un appel téléphonique ou un message que vous recevrez fixera la date et l'heure d'une activité ou d'un rendez-vous.

VALET DE CARREAU (LETTRES): Un messager ou le facteur vous apportera des nouvelles fraîches au sujet d'investissements ou de vos affaires; des renseignements de toute sorte.

DIX DE CARREAU (ARGENT): Message écrit ou téléphonique ayant rapport à l'argent; ou pour préciser des arrangements de paiement pour quelque chose que vous avez acheté ou de l'argent que vous devez recevoir. C'est un message qui concerne l'argent.

NEUF DE CARREAU (SURPRISES): Vous recevrez un message contenant une surprise; une très bonne surprise.

HUIT DE CARREAU (HÉRITAGE): Un message vous parvient concernant un héritage; ou l'occasion d'investir de l'argent qui pourrait vous rapporter une coquette somme.

SEPT DE CARREAU (RÉUSSITE): Message important qui influencera votre réussite prochaine sur le plan de la carrière. Concentrez-vous, ne laissez pas passer cette occasion unique.

Messages d'amitié qui circulent de province à province;
Lettres d'amour qui découvrent la carte du cœur,
Sentir la pression d'une main
Un éclair dans une vie, tout le reste est mystère.

Henry Wadsworth Longfellow

MAISON DES MESSAGES

LES TRÈFLES

AS DE TRÈFLE (CADEAU): Un message au sujet d'un cadeau vous est livré à votre porte; ou vous recevez un appel téléphonique; ou on vous livre un cadeau; ou une proposition vous est faite par téléphone.

ROI DE TRÈFLE (VOCATION): Si vous êtes sans emploi, quelqu'un vous enverra de l'argent ou vous téléphonera pour réclamer vos services; ou vous recevez un message vous demandant votre avis sur un sujet précis.

DAME DE TRÈFLE (CONSULTANT): Vous recevrez un message qui vient de loin; ou vous venez juste d'en recevoir un.

VALET DE TRÈFLE (FAMILLE): Un membre de votre famille vous appelle ou vous écrit au sujet d'un scandale; ou vous recevez une invitation pour assister à un mariage.

DIX DE TRÈFLE (VOYAGES): Une réclame de voyage vous parvient par la poste; ou vous êtes invité à faire un voyage.

NEUF DE TRÈFLE (CHANCE): Un message ou un petit cadeau de quelqu'un dans le domaine des courses, ou de la chance dans les jeux de hasard, vous prouveront que vous êtes né sous une bonne étoile; un message heureux vous est destiné.

HUIT DE TRÈFLE (CONSÉCRATION): Le message que vous recevrez touche de près à votre carrière; ou un message d'affaires vous aide beaucoup; n'arrêtez pas les études pour aller sur le marché du travail. Des discussions d'affaires au téléphone.

SEPT DE TRÈFLE (MESSAGES): Si vous attendez un message concernant votre désir, il ne fait aucun doute que vous l'aurez et que vous en serez satisfait. Si vous travaillez, votre emploi pourrait bien se situer dans un endroit où l'on reçoit de nombreux appels téléphoniques.

Il siffle en marchant le pauvre hère au cœur léger
Il a froid mais il est de bonne humeur le messager
Pourtant sa besace n'est remplie de joies que pour
Quelques-uns mais de douleurs pour beaucoup.

James Fenimore Cooper

LES PIQUES

AS DE PIQUE (MORT): Message qui vous annonce un décès; ou un accident suivit d'une mort; ou quelqu'un qui vous appelle pour vous dire adieu.

ROI DE PIQUE (VISITEUR): Soyez très prudent sur ce que vous mettez par écrit ou dites au téléphone; ou cela pourrait signifier l'annulation d'une commande, si vous êtes dans les affaires; ou quelqu'un vous téléphone pour vous annoncer sa visite.

DAME DE PIQUE (GRATITUDE): Vous recevrez un appel ou une lettre de commérages; ou une personne ingrate vous enverra une lettre désagréable; ou vous serez content d'avoir des nouvelles de quelqu'un.

VALET DE PIQUE (ORIENTATION): Si vous suspectez une personne, faites votre petite enquête. Cette personne a du mal à s'accepter elle-même. La tromperie est évidente. Un emprunteur fourbe; ou vous entendrez à la radio des nouvelles désagréables.

DIX DE PIQUE (SOLEIL): Vous recevrez un message très intéressant cet après-midi ou tôt dans la soirée concernant votre travail ou vos affaires personnelles; quelqu'un que vous cherchez à connaître.

NEUF DE PIQUE (DÉCEPTIONS): On vous apprend que vous avez perdu quelque chose; ou vous perdrez quelque chose et vous enverrez un message ou ferez des appels téléphoniques pour tenter de le retrouver; ou un appel téléphonique est retardé.

HUIT DE PIQUE (PROBLÈMES): Message vous faisant part d'un ennui quelconque; ou problèmes avec un message que vous avez envoyé; ou quelqu'un vous confie ses ennuis du moment.

SEPT DE PIQUE (SANTÉ): Vous apprenez la maladie de quelqu'un que vous pensiez en bonne santé; ou vous recevez un message qui vous attriste et vous désole; ou un message s'enquérant de votre santé.

MAISON DE LA FAMILLE

LES CŒURS

AS DE CŒUR (FOYER): Dans la maison de la famille, cette carte signifie que l'ambiance dans votre foyer sera influencée par certains membres de votre famille; ou qu'ils vous aideront à trouver un endroit où vous loger; ou que vous habiterez chez eux ou eux chez vous; ou que vous recevrez la visite d'amis ou de relations.

ROI DE CŒUR (PLAISIR et BIEN-ÊTRE): Un membre de votre famille, votre père, un oncle ou un autre parent sera bon pour vous; ou un montant en argent vous sera attribué grâce à cette personne.

DAME DE CŒUR (AMITIÉ): Vous avez beaucoup de relations à l'endroit où vous habitez et votre cercle d'amis est aussi proche de vous que votre famille.

VALET DE CŒUR (CÉLÉBRITÉ): Il pourrait y avoir quelqu'un de célèbre parmi les membres de votre famille immédiate et cette personne vous apportera un soutien important. Si vous êtes marié et que vous avez des enfants, l'un d'entre eux deviendra très populaire à mesure que le temps passe; ou votre conjoint verra croître sa renommée.

DIX DE CŒUR (UNION): Un membre de votre famille ou un intime va bientôt se marier; ou vous assisterez au mariage d'un ami très proche; ou une réunion de famille aura lieu prochainement.

NEUF DE CŒUR (DÉSIR et SOUHAIT): Un parent influencera votre désir; ou cela pourrait être un ami; quelquefois les amis sont aussi importants que la famille. Votre souhait se réalisera bientôt.

HUIT DE CŒUR (LUNE): Un ou plusieurs membres de votre famille vous apprécient beaucoup et vous êtes leur préféré. Si vous avez des enfants, naturels ou adoptés, ils vous donnent beaucoup d'amour. En résumé, vos amis et votre famille vous aiment.

SEPT DE CŒUR (BONHEUR): Votre famille vous apporte beaucoup de bonheur; vous sentirez cependant une petite pointe de jalousie de la part de certains de ses membres.

On ne choisit pas sa famille mais grâce à Dieu on peut choisir ses amis.

Addison Mizner

LES CARREAUX

AS DE CARREAU (NOUVEAU PROJET): Vous allez bientôt vous lancer dans une nouvelle entreprise avec un membre de votre famille ou un ami très proche. Soyez prudent et assurez-vous que tout soit fait dans les règles comme si vous traitiez avec un étranger.

ROI DE CARREAU (DOCUMENTS JURIDIQUES): Il se peut que vous signiez un papier avec un parent proche. Assurez-vous que tout soit fait dans le respect des lois. Des contrariétés dans la famille; ou votre famille devra sous peu demander les services d'un homme de loi; ou un membre de votre famille exerce une profession libérale.

DAME DE CARREAU (SAISONS): Si vous avez des enfants, l'un d'eux pourrait devenir célèbre. Avec le temps, votre famille s'agrandit ce qui sera pour vous une bénédiction dans les années à venir.

VALET DE CARREAU (LETTRES): Message urgent d'un membre de votre famille qui revêt pour vous une importance capitale.

DIX DE CARREAU (ARGENT): Vous bénéficierez de l'aide financière d'une personne très proche de vous.

NEUF DE CARREAU (SURPRISES): Un membre de votre famille vous surprendra; tout ce qu'il fait ou dit vous étonne.

HUIT DE CARREAU (HÉRITAGE): Vous pourriez hériter, dans quelque temps, d'actions, bons ou meubles d'un parent dont vous étiez le préféré; ou une petite somme d'argent vous parviendra.

SEPT DE CARREAU (RÉUSSITE): Un proche parent vous aidera de ses conseils. Suivez-les, car cette personne pourrait détenir la clé de votre réussite. Amis ou parents qui ont réussi.

MAISON DE LA FAMILLE

LES TRÈFLES

AS DE TRÈFLE (CADEAU): Vous recevrez un cadeau d'un membre de votre famille; ou d'un ami très proche; un nouveau-né pourrait bien venir agrandir le cercle familial; une naissance.

ROI DE TRÈFLE (VOCATION): Vous travaillez soit avec des membres de votre famille soit pour eux; ils auront une influence directe sur vos activités professionnelles; ou vous allez vous lancer dans un apprentissage ou une carrière pour plaire à un parent.

REINE DE TRÈFLE (CONSULTANT): Votre famille a une grande influence sur votre vie; ou votre vie est influencée par l'éducation que vous avez reçue lorsque vous étiez enfant; ou vous avez une famille agréable.

VALET DE TRÈFLE (FAMILLE): De nombreux parents vous entourent; et de nouveaux s'y ajouteront au fil des ans. Si vous n'avez pas de famille, vous avez de nombreux amis.

DIX DE TRÈFLE (VOYAGES): Certains membres de votre famille s'en vont en voyage ou viennent chez vous d'un endroit éloigné; ou des parents ou amis très proches déménagent au loin; ou vous irez en visite dans la famille.

NEUF DE TRÈFLE (CHANCE): Certains membres de votre famille pourraient être favorisés par la chance; ou c'est par l'entremise de votre famille que vous rencontrerez Dame Chance.

HUIT DE TRÈFLE (CONSÉCRATION): C'est grâce à vos relations amicales ou familiales que vous accomplirez avec succès les tâches que vous vous êtes assignées.

SEPT DE TRÈFLE (MESSAGES): Vous recevrez le message d'un proche, ami ou parent, qui vous invite à une soirée ou à un baptême; ou vous recevrez un appel téléphonique agréable.

Chaque nouveau-né dans le monde est plus beau que le précédent.

Charles Dickens

LES PIQUES

AS DE PIQUE (MORT): La mort d'un membre de votre famille est imminente et vous en entendrez parler bientôt; ou un parent est décédé récemment. Cela pourrait aussi être un divorce dans la famille.

ROI DE PIQUE (VISITEUR): Un des membres de votre famille vous appellera. Soyez sur vos gardes lors de vos conversations; ou un parent que vous avez dans la police ou dans un service public quelconque vient vous rencontrer.

REINE DE PIQUE (GRATITUDE): Vous avez quelques membres de votre famille qui vous sont reconnaissants; ils pourraient aussi gêner votre progression si vous deviez subvenir à leurs besoins. Rappelez-vous qu'un ami reconnaissant vaut bien plus que de l'argent; ou vous aurez de la reconnaissance pour un ami ou un parent.

VALET DE PIQUE (ORIENTATION): Un des membres de votre famille n'est pas tout à fait honnête. En face de vous une telle personne est vraiment charmante, mais ses sentiments ne sont pas sincères; ou un jeune parent pourrait être employé dans les médias.

DIX DE PIQUE (SOLEIL): Un parent vous informe que d'autres membres de la famille essaient de garder pour eux une propriété qui vous revient de droit; ou vous découvrirez quelque chose que vous deviez savoir, tard dans la soirée ou durant la nuit.

NEUF DE PIQUE (DÉCEPTIONS): Les gens de votre famille sont mesquins; des membres de votre famille qui vous ignorent renouent contact avec vous dès que vous devenez prospère et connu; ou une grosse perte à cause d'un parent; ou vous perdrez ou avez perdu un membre de votre famille.

HUIT DE PIQUE (PROBLÈMES): Des membres de votre famille vous causeront des problèmes; ou vous aideront à sortir de vos ennuis; ou vous vous ferez du tracas pour eux.

SEPT DE PIQUE (SANTÉ): Des membres de votre famille vous briseront le cœur par la façon dont ils vous traitent ou agissent avec vous; ou l'état de santé de l'un d'eux vous inquiète.

MAISON DE LA SANTÉ

LES CŒURS

AS DE CŒUR (FOYER): Dans la maison de la santé, cette carte indique que votre milieu familial a beaucoup à voir avec la façon dont vous vous sentez. Elle indique aussi que votre foyer sera épargné par la maladie pendant quelque temps; ou si quelqu'un chez vous est malade, cela se réglera sous peu.

ROI DE CŒUR (PLAISIR et BIEN-ÊTRE): La guérison d'une personne malade vous remplit de joie; ou par votre façon de penser et de vivre vous êtes en forme et plein de vigueur; ou votre excellente santé vous réjouit.

DAME DE CŒUR (AMITIÉ): Vous apprendrez de très bonnes nouvelles concernant la santé d'un proche, ami ou parent.

VALET DE CŒUR (CÉLÉBRITÉ): Le surmenage vous guette ou guette une personne qui vous est chère; ou vous apprenez la maladie d'une personne connue: parent, ami ou quelqu'un de célèbre que vous ne connaissez pas personnellement.

DIX DE CŒUR (UNION): Vous apprendrez un mariage qui vous brisera le cœur; ou on fondera dans votre environnement immédiat une association qui aura un effet salutaire sur la santé publique.

NEUF DE CŒUR (DÉSIR et SOUHAIT): Si votre souhait était lié à votre santé, vous obtiendrez ce que vous désiriez; ou votre bonne santé pourrait être une bénédiction pour vous; une longue vie.

HUIT DE CŒUR (LUNE): Vous avez un cœur solide et de bons poumons. Vous êtes parmi ceux que la santé favorise.

SEPT DE CŒUR (BONHEUR): Pour vous, le bonheur est inséparable d'une bonne santé, mais les tracas vous rendent nerveux. Ne vous en faites pas; concentrez-vous sur ce que vous voulez.

LES CARREAUX

AS DE CARREAU (NOUVEAU PROJET): Si votre santé était précaire par le passé, quelque chose va changer cette situation. Si vous êtes en bonne santé, méfiez-vous du surmenage et des pertes d'énergie, modérez-vous; ou de nouveaux traitements médicaux font leur apparition.

ROI DE CARREAU (DOCUMENTS JURIDIQUES): Si vous êtes sédentaire, ne négligez pas les exercices de plein air; ou indique un tempérament bilieux. Vous devriez peut-être rendre visite à votre dentiste ou à votre médecin.

DAME DE CARREAU (SAISONS): Les exercices de plein air améliorent votre santé, vous pourriez souffrir de migraines si vous les négligez. Si vous êtes souffrant, votre santé s'améliorera.

VALET DE CARREAU (LETTRES): Vous recevrez un court message vous informant de la santé d'un proche; ou un dépliant, par la poste, que vous devriez lire si vous êtes malade; ou un médecin est appelé par téléphone.

DIX DE CARREAU (ARGENT): Vous jouirez d'une bonne santé grâce à l'argent qui vous permettra de voyager et de prendre la vie du bon côté. Ceci s'applique surtout aux gens d'un certain âge. Si vous êtes souffrant, vous pourriez vous procurer l'argent nécessaire pour vos traitements; ou en travaillant dur et en gagnant de l'argent, vous acquerrez une bonne santé.

NEUF DE CARREAU (SURPRISES): L'état de santé d'une personne que vous connaissez bien vous surprendra; ou vous serez étonné d'apprendre la naissance d'un enfant.

HUIT DE CARREAU (HÉRITAGE): Vous avez hérité d'une très bonne santé; si vous êtes souffrant, grâce à l'aide de quelqu'un, ou avec des traitements, vous guérirez.

SEPT DE CARREAU (RÉUSSITE): Votre état de santé perturbe votre réussite. Soyez attentif à votre santé et vous réussirez. Bonne santé et réussite sont dans l'air.

MAISON DE LA SANTÉ

LES TRÈFLES

AS DE TRÈFLE (CADEAU): Vous recevrez un cadeau qui améliorera votre santé; quelque chose pour le jardin ou le travail à l'extérieur.

ROI DE TRÈFLE (VOCATION): Votre santé perturbe votre travail; ou l'inquiétude peut vous causer plus de préjudices que la souffrance. Si vous êtes médecin, vous aurez beaucoup de patients.

DAME DE TRÈFLE (CONSULTANT): Vous pourriez avoir une très bonne santé pour de longues années encore. Une guérison rapide est en vue si vous êtes malade.

VALET DE TRÈFLE (FAMILLE): L'état de santé d'un parent ou d'un intime vous perturbe; ou une indication de danger dans la rue; des membres de votre famille sont en forme ou ils dirigent une maison de santé.

DIX DE TRÈFLE (VOYAGES): Un parent fera un voyage pour améliorer sa santé; ou vous effectuerez un déplacement qui vous fera du bien; ou un changement d'environnement ou de vie.

NEUF DE TRÈFLE (CHANCE): La chance et une bonne santé vous attendent. Si vous êtes infirmière, la chance vous sourira grâce à un patient.

HUIT DE TRÈFLE (CONSÉCRATION): La santé et le bien-être physique sont une priorité dans votre milieu de travail; ou votre santé dépend de votre travail; ou vous travaillez dans un hôpital.

SEPT DE TRÈFLE (MESSAGES): On vous informe de l'état de santé d'un proche; ou un message à propos d'un accident. Si vous êtes médecin ou infirmière, vous aurez beaucoup d'appels.

Respectez votre santé; si vous l'avez,
Rendez grâce à Dieu et considérez-la
au même titre qu'une bonne conscience;
car la santé est le second état de grâce
que nous, mortels, sommes capables d'atteindre.
Une bénédiction qui ne se monnaie pas.

Izaak Walton

LES PIQUES

AS DE PIQUE (MORT): Soyez particulièrement prudent avec votre santé; si vous faites un travail dangereux, attention!; ou une courte période de maladie est à prévoir; ou un membre très proche de votre famille tombe malade.

ROI DE PIQUE (VISITEUR): Vous recevrez un visiteur qui a un rapport direct avec votre santé, un médecin par exemple; ou vous suivez un traitement qui améliorera votre santé; ou vous ferez des exercices de santé en plein air; ou une visite d'une personne qui n'est pas bien.

DAME DE PIQUE (GRATITUDE): Vous avez été pour quelqu'un l'instrument de sa guérison ou de son maintien en bonne santé; et cette personne vous paraîtra très ingrate.

VALET DE PIQUE (ORIENTATION): Vous vous demandez si changer d'air vous ferait du bien; ou si un changement de résidence pourrait améliorer votre état de santé; ou si prendre des vacances serait la solution à vos problèmes de santé; ou vous entendrez parler d'un nouveau traitement qui vous intéresse beaucoup.

DIX DE PIQUE (SOLEIL): Les rayons du soleil et l'air pur feront plus pour votre santé que tous les médecins et les médicaments réunis; si vous êtes souffrant, essayez ça! Évitez de sortir seul la nuit; ou si vous êtes souffrant, vous suivrez de légers traitements.

NEUF DE PIQUE (DÉCEPTIONS): Vous avez été malade ou vous avez subi la perte d'une personne très malade; ou indique aussi un petit problème émotionnel causé par un travail que vous n'aimez pas ou par votre entourage. Courage, tout va changer bientôt.

HUIT DE PIQUE (PROBLÈMES): La perte d'un être cher perturbe votre santé durant une certaine période; ou vous vous tracassez au sujet de votre santé ou de celle de quelqu'un d'autre; ou des problèmes, une maladie ou un accident sont indiqués; ou vous vous inquiétez au sujet de quelque chose que vous avez négligé.

SEPT DE PIQUE (SANTÉ): Vous devriez entrer dans une bonne période de santé. Si vous êtes médecin ou infirmier, vous serez très occupé.

MAISON DE L'ARGENT

LES CŒURS

AS DE CŒUR (FOYER): Dans la maison de l'argent, cette carte signifie que vos gains viendront de votre foyer; ou des travaux faits à la maison vous rapporteront de l'argent; ou vous vendrez votre maison si elle vous appartient. C'est par votre demeure que se font vos rentrées d'argent.

ROI DE CŒUR (PLAISIR et BIEN-ÊTRE): Une grosse somme vous est attribuée grâce aux efforts d'une autre personne, comme votre père, un oncle ou un ami très cher; ou une négociation d'affaires vous réjouit. Bonnes affaires dans le domaine des lieux de divertissements: vacances d'été ou spectacles, etc.

DAME DE CŒUR (AMITIÉ): Un ami vous fait un prêt ou vous aide à gagner de l'argent; ou vous avez aussi l'amicale coopération de vos employeurs ou de vos collègues.

VALET DE CŒUR (CÉLÉBRITÉ): Parce qu'on vous apprécie, l'argent va rentrer à flot; ou vous en gagnerez grâce à vos talents; ou à la réputation que vous êtes en train d'acquérir; ou parce que la demande populaire s'accroît.

DIX DE CŒUR (UNION): C'est grâce à votre mariage que vous gagnerez beaucoup d'argent. Si vous êtes marié, votre conjoint vous sera d'une grande aide; ou réunion de quelque chose qui rapporte beaucoup d'argent dans le domaine des affaires.

NEUF DE CŒUR (DÉSIR et SOUHAIT): Si vous avez souhaité recevoir de l'argent, vous l'obtiendrez; ou le manque d'argent empêche la réalisation de votre souhait. Une bonne chance pour vos souhaits.

HUIT DE CŒUR (LUNE): Vous recevrez beaucoup d'argent grâce à quelqu'un qui vous aime; ou, si vous êtes seul, l'amour et l'argent envahissent votre vie. Mariage prospère en vue.

SEPT DE CŒUR (BONHEUR): Une rentrée d'argent vous permettra de réaliser un désir longtemps retardé, et cette réalisation vous apportera beaucoup de bonheur.

LES CARREAUX

AS DE CARREAU (NOUVEAU PROJET): Vous trouverez votre profit en vous lançant dans une nouvelle entreprise. Tirez partie de toute offre qui vous est faite: travail ou investissement.

ROI DE CARREAU (DOCUMENTS JURIDIQUES): Tous les biens représentés par des documents devront être ratifiés devant notaire ou avocat; ou une occasion d'investir se présente: actions, bons ou prêts.

DAME DE CARREAU (SAISONS): Vous recevrez de l'argent dans peu de temps, soit par le biais de placements, soit grâce à votre travail. Il y a de l'argent pour vous en ce moment. Si vous contractez un emprunt remboursable en paiements échelonnés, votre succès est assuré.

VALET DE CARREAU (LETTRES): Vous recevrez des nouvelles fraîches au sujet d'une somme d'argent que vous attendez; ou vous rêvez d'argent sans penser à la façon dont vous pourriez réaliser vos désirs; ou vous recevez de l'argent par la poste.

DIX DE CARREAU (ARGENT): Vous recevrez un gros montant d'argent; ou on vous offre l'occasion de faire un emprunt ou de modifier un emprunt à un taux plus avantageux; ou vous vous débarrassez enfin d'une vieille dette qui vous pesait; un signe certain que votre situation financière s'améliore, profitez-en avec prudence.

NEUF DE CARREAU (SURPRISES): À votre grande surprise, on vous offrira la possibilité d'améliorer votre situation financière. Prenez ce qui vous est offert, c'est à votre avantage; ou vous recevrez un montant d'argent de façon inattendue.

HUIT DE CARREAU (HÉRITAGE): Vous hériterez d'une petite somme d'argent, ainsi que d'actions et de bons. Les legs proviennent à un moment et d'un lieu inattendus, cet héritage ne provient pas d'un décès; ou vous recevez un petit cadeau en argent.

SEPT DE CARREAU (RÉUSSITE): Vous aurez beaucoup de succès avec l'argent dans les prochains mois. Concentrez-vous sur une occasion qui se présentera au travail. Le succès est là pour vous.

MAISON DE L'ARGENT

LES TRÈFLES

AS DE TRÈFLE (CADEAU): Vous recevrez une grosse somme en argent ou titres; ou l'achat de bijoux, quelque chose ayant beaucoup de valeur.

ROI DE TRÈFLE (VOCATION): Si vous travaillez, vous pouvez vous attendre à une augmentation de salaire, un meilleur poste ou des affaires prospères; ou un accroissement de vos revenus.

DAME DE TRÈFLE (CONSULTANT): Bien que vous ne sachiez pas encore d'où l'argent va provenir, vous pouvez vous attendre à en recevoir prochainement.

VALET DE TRÈFLE (FAMILLE): Un membre de votre famille ou un ami vraiment riche est ou sera très généreux avec vous; ou vous donnerez de l'argent à un parent ou à un ami.

DIX DE TRÈFLE (VOYAGES): Vous recevez de l'argent de très loin; ou grâce à un déplacement ou à un changement de travail, vous ferez des gains financiers appréciables; un changement bénéfique. Cela pourrait être la vente d'un terrain ou d'une automobile. Si vous êtes dans le domaine des courses ou du transport, l'argent rentre et les affaires prospèrent.

NEUF DE TRÈFLE (CHANCE): Vous pourriez être dans une période de chance pour tout ce qui a trait à l'argent, par exemple à la Bourse, vous savez quoi et quand acheter; ou vous gagnez de l'argent au jeu. La prospérité est pour tout le monde.

HUIT DE TRÈFLE (CONSÉCRATION): La réussite vous apportera beaucoup d'argent. Bonnes affaires et argent – ainsi que travail – sont là pour vous.

SEPT DE TRÈFLE (MESSAGES): Vous recevrez des renseignements au sujet d'une bonne occasion de faire des gains importants. Soyez à l'écoute cette semaine et étudiez sérieusement les propositions qui vous seront faites au cours d'une conversation ou par lettre.

LES PIQUES

AS DE PIQUE (MORT): Vous recevrez un héritage: assurances, actions ou titres à la suite du décès d'une personne; ou grâce à un changement quelconque, vous faites un bénéfice financier important.

ROI DE PIQUE (VISITEUR): Vous aurez à payer une amende; ou une bonne occasion va vous filer entre les doigts; ou discussions financières avec des visiteurs; ou demande d'un prêt; ou des projets sont étudiés avec un visiteur.

DAME DE PIQUE (GRATITUDE): Une personne qui vous est redevable vous offrira un investissement dans les matériaux bruts: le bois, les produits miniers, etc. Si vous vous sentez attiré, cette occasion sera à votre avantage; ou si vous devez vous occuper de la propriété de quelqu'un, il pourrait vous montrer beaucoup d'ingratitude pour le travail que vous avez fait; ou vous serez content du remboursement d'une dette.

VALET DE PIQUE (ORIENTATION): Un de ces jours, l'argent arrivera de tous les côtés à la fois. Si vous êtes dans les affaires, les commandes ne manqueront pas.

DIX DE PIQUE (SOLEIL): Pour vous l'abondance viendra de l'ouest; des occasions en or vous attendent; ou vous investissez dans l'industrie du pétrole ou du bois. Excellent investissement.

NEUF DE PIQUE (DÉCEPTIONS): Vous aurez des problèmes d'argent avec des pertes de biens immobiliers, des actions ou des titres sans valeur, etc.; ou vous subirez une perte quelconque; ou un de vos amis subit une perte importante; ou un retard est à prévoir dans un paiement qui vous est dû.

HUIT DE PIQUE (PROBLÈMES): Vous pouvez vous attendre à des ennuis d'argent; ou cessez de demander l'avis de tout le monde lorsqu'une occasion se présente d'elle-même, servez-vous de votre bon sens. Cessez de vous tracasser au sujet de l'argent.

SEPT DE PIQUE (SANTÉ): votre maladie entraîne la perte d'un montant d'argent; ou votre de santé influence votre situation financière. Si vous œuvrez dans le domaine de la santé, la maladie d'une personne ou les soins à apporter à un patient vous amèneront des gains substantiels. Courage, la santé et l'argent ne sont pas loin.

MAISON DES SAISONS

LES CŒURS

AS DE CŒUR (FOYER): Dans la maison des saisons, cette carte indique une amélioration dans votre vie de tous les jours: nouveaux meubles, agrandissement de votre demeure, déménagement ou vacances, avant la fin de la saison.

ROI DE CŒUR (PLAISIR et BIEN-ÊTRE): Dans la semaine, vous apprendrez une nouvelle qui va vous réjouir au plus haut point; elle arrivera par l'intermédiaire d'une personne qui a vos intérêts à cœur.

DAME DE CŒUR (AMITIÉ): Des amis vous offrirons de prendre vos vacances avec eux ou eux avec vous; ou vous vous allouerez du temps pour rencontrer un ami.

VALET DE CŒUR (CÉLÉBRITÉ): Si vous êtes dans le domaine des spectacles, vous allez vous faire connaître dans peu de temps; si vous êtes dans le monde du commerce, vos produits seront en demande incessamment; ou vos services seront très recherchés.

DIX DE CŒUR (UNION): Si vous êtes seul et voulez vous marier, vous en aurez l'occasion avant que l'année ne se termine; ou quelque chose dans le domaine des affaires changera de mains cette année, en vous avantageant financièrement.

NEUF DE CŒUR (DÉSIR et SOUHAIT): Ce que vous avez désiré se fait attendre, mais ne vous découragez pas car le temps agit en votre faveur.

HUIT DE CŒUR (LUNE): Célibataire, avant la fin de la saison, vous aurez un nouveau prétendant; ou une nouvelle amitié vous apportera beaucoup.

SEPT DE CŒUR (BONHEUR): Avant la fin de la saison vous croiserez le bonheur. Soyez prêt à recevoir et à profiter des bonnes choses qui vous sont offertes.

LES CARREAUX

AS DE CARREAU (NOUVEAU PROJET): Si vous venez de commencer quelque chose de nouveau dans votre vie, soyez patient. Les résultats auront besoin de temps pour se concrétiser; ou dans moins de trois mois, quelque chose de nouveau va arriver.

ROI DE CARREAU (DOCUMENTS JURIDIQUES): Si vous attendez des documents juridiques pour une certaine date, ils pourraient arriver à temps; ou le temps aura un rapport avec des documents, tels que dettes à payer à une date précise; ou une poursuite sera fixée pour une date prédéterminée.

DAME DE CARREAU (SAISONS): Vous aurez besoin de trois mois pour obtenir ou compléter ce que vous désirez.

VALET DE CARREAU (LETTRES): Si vous attendez des nouvelles de quelque chose qui vous tient à cœur, un certain retard est à craindre; ou vous devriez répondre à votre courrier plus rapidement.

DIX DE CARREAU (ARGENT): Si vous attendez de l'argent, vous le recevrez avec un certain retard; ou retard à prévoir; ou argent reçu par mensualités.

NEUF DE CARREAU (SURPRISES): Dans neuf jours, vous aurez une surprise, et ce sera une très agréable surprise.

HUIT DE CARREAU (HÉRITAGE): Vous recevez un héritage d'une personne âgée; ou, si vous êtes sur le point d'hériter, plusieurs saisons risquent de passer avant de toucher votre part. De l'argent vous sera versé.

SEPT DE CARREAU (RÉUSSITE): Sept jours, sept semaines ou sept mois vous seront nécessaires avant de réussir dans une chose sur laquelle vous comptiez. Mais au fur et à mesure que le temps passe tout ira en s'améliorant.

Il y a un temps pour certaines choses,
et un temps pour tout;
un temps pour les grandes choses
et un temps pour les petites.

Miguel de Cervantes

MAISON DES SAISONS

LES TRÈFLES

AS DE TRÈFLE (CADEAU): Vous recevrez un cadeau que vous désiriez depuis longtemps; ou le temps est arrivé de vendre une propriété; ou une offre concrète vous sera présentée.

ROI DE TRÈFLE (VOCATION): La carrière que vous poursuivez actuellement ou dans laquelle vous vous engagerez bientôt sera de longue durée; si vous êtes en pourparlers pour un nouveau poste, vous devriez l'obtenir.

DAME DE TRÈFLE (CONSULTANT): Avant la fin de la saison, quelque chose de particulièrement avantageux devrait arriver dans votre vie, peut-être un changement...

VALET DE TRÈFLE (FAMILLE): Des proches, parents ou amis, désirent que vous passiez votre temps avec eux; ou vous gaspillez votre temps dans des choses futiles. Vivez plus pour vous, ou en fonction de vous.

DIX DE TRÈFLE (VOYAGES): Vous ferez un changement dans votre vie ou partirez en voyage avant la fin de la saison. Préparez-vous à un chambardement complet dans votre routine quotidienne.

NEUF DE TRÈFLE (CHANCE): Dame Fortune vous rendra visite avant que cette saison n'achève.

HUIT DE TRÈFLE (CONSÉCRATION): Tout semblera au ralenti dans vos affaires ou tout autre projet en cours; ou vous ferez de meilleures affaires dans les trois prochains mois, une transaction commerciale.

SEPT DE TRÈFLE (MESSAGES): Vous recevez un message urgent, d'une personne âgée par exemple; ou de quelqu'un qui vous demande de le rencontrer le plus rapidement possible; un message dans lequel il est question de temps; ou vous parlez de projets futurs au téléphone.

Nos saisons ignorent le temps,
Elles vont et viennent à leur gré;
Soudain à midi, notre été se consume,
Et tout peut être enneigé avant le crépuscule.

James Russell Lowell

LES PIQUES

AS DE PIQUE (MORT): Vous perdrez un très bon ami avant la fin de la saison; ou, dans les trois prochains mois, vous effectuerez un changement dans votre vie en vous dominant dans une situation contrariante. Votre jour de chance: le lundi.

ROI DE PIQUE (VISITEUR): Vous rencontrerez beaucoup de gens dans un laps de temps assez court; tout nouveau, tout beau; ou un visiteur viendra pour vous montrer une propriété, ou un objet assez volumineux, et vous proposera de l'acheter. Votre jour de chance: le mardi.

DAME DE PIQUE (GRATITUDE): Vous êtes indécis sur ce que vous voulez faire; tout va mal. Si des amis veulent vous conseiller, vous pensez qu'ils ont tort; si vous n'êtes pas encore dans cet état d'indécision, vous le serez bientôt. Ressaisissez-vous et remettez-vous d'aplomb, ainsi une personne reconnaissante vous appellera ou viendra vous voir.

VALET DE PIQUE (ORIENTATION): Vous serez en pleine période d'indécision sur ce que vous voulez faire; allez-vous-en dans la direction ou à l'endroit où vous désirez vivre. Jour de chance: le mercredi.

DIX DE PIQUE (SOLEIL): Le prochain trimestre pourrait changer bien des choses dans votre vie; ou depuis trois mois, les choses ont bien changé pour vous, peut-être d'une manière si imperceptible que vous ne vous en êtes pas aperçu. Les trois prochains mois, le soleil devrait briller pour vous. Jour de chance: le jeudi.

NEUF DE PIQUE (DÉCEPTIONS): Quelque chose vous déçoit, c'est soit l'endroit où vous habitez, soit votre lieu de travail; ou vous vivez une grande déception; un rendez-vous est retardé. Jour de chance: le vendredi.

HUIT DE PIQUE (PROBLÈMES): Vous aurez des obstacles à surmonter dans les trois prochains mois; ou de gros problèmes vous attendent. Restez optimiste, le temps arrange bien des choses. Jour de chance: le samedi.

SEPT DE PIQUE (SANTÉ): Si vous êtes souffrant ou si l'un de vos proches est malade, un changement d'environnement vous aiderait. Une excellente santé vous attend. Jour de chance: le dimanche.

MAISON DE L'AMITIÉ

LES CŒURS

AS DE CŒUR (FOYER): Dans la maison de l'amitié, cette carte indique que vos amis vous aiment et apprécient votre hospitalité; on se sent bien chez vous et la porte est toujours ouverte; ou un ami vous aidera à trouver un logement.

ROI DE CŒUR (PLAISIR et BIEN-ÊTRE): Si vos amis veulent s'amuser, ils viennent vous voir ou vous invitent; ou une aimable personne veillera à ce que vous puissiez vous divertir.

DAME DE CŒUR (AMITIÉ): Vous aurez un ami qui restera proche de vous tout au long de votre vie. Une aide amicale vous attend.

VALET DE CŒUR (CÉLÉBRITÉ): Vous êtes déjà ou vous serez l'ami d'une personne connue ou célèbre; ou vous deviendrez célèbre grâce à des amis.

DIX DE CŒUR (UNION): Si votre conjoint a disparu, un ami très cher vous offrira de fonder un nouveau foyer; ou l'un de vos meilleurs amis vous annonce son mariage prochain; ou vous apprenez l'union de deux vieux amis ou d'anciens compagnons de classe.

NEUF DE CŒUR (DÉSIR et SOUHAIT): Un ami interviendra pour vous aider à réaliser votre souhait, si c'est dans le domaine du possible; ou ce que vous souhaitez a quelque chose à voir avec un ami; ou une personne que vous avez rencontrée vous aidera.

HUIT DE CŒUR (LUNE): Vous serez aimé et estimé de tous ceux qui vous entourent, voisins, collègues et employés; ou un ami vous fera une faveur à votre insu.

SEPT DE CŒUR (BONHEUR): Votre bonheur futur dépend beaucoup de vos amis. Entretenez donc l'amitié et évitez la jalousie.

LES CARREAUX

AS DE CARREAU (NOUVEAU PROJET): Vous pouvez compter sur l'appui moral de vos amis pour toute nouvelle entreprise dans laquelle vous décideriez de vous lancer; ou vous pourriez vous associer avec l'un d'eux. La coopération est au rendez-vous.

ROI DE CARREAU (DOCUMENTS JURIDIQUES): Vous serez protégé, en cas de besoin, par des personnes exerçant une profession libérale. Ces personnes vous aideront dans une poursuite ou toute activité entraînant des procédures juridiques; ou un aimable médecin vous aidera lorsque ses services seront requis; ou vous signez un document avec un ami.

DAME DE CARREAU (SAISONS): Il y aura dans l'histoire de votre vie un ami très riche duquel vous pourriez dépendre et sur qui vous pourrez toujours compter si le besoin s'en faisait sentir. Gains financiers ou bons conseils de sa part.

VALET DE CARREAU (LETTRES): Un ami a soudainement besoin d'une aide financière (argent liquide ou prêt) et fait appel à vous de façon pressante. Rappelez-vous qu'un emprunteur reste rarement un ami; ou vous recevez une lettre amicale.

DIX DE CARREAU (ARGENT): Grâce à un ami, vous allez pouvoir gagner de l'argent ou faire des gains dans un domaine quelconque; ou vous avez des amis prospères.

NEUF DE CARREAU (SURPRISES): Un ami vous surprend et c'est une surprise agréable, comme une surprise-partie ou un anniversaire; ou vous ferez quelque chose qui surprendra vos amis.

HUIT DE CARREAU (HÉRITAGE): Vous hériterez d'un ami un objet de grande valeur; ou on vous donnera une petite somme d'argent.

SEPT DE CARREAU (RÉUSSITE): Des amis vous aideront à trouver une nouvelle situation ou un nouveau travail; vos amis auront une influence sur votre futur succès.

Il existe trois amis fidèles: une vieille femme,
un vieux chien et de l'argent liquide.
Benjamin Franklin

MAISON DE L'AMITIÉ

LES TRÈFLES

AS DE TRÈFLE (CADEAU): Vous avez un don spécial pour vous faire des amis; ou c'est grâce à vos relations que vous pourrez réussir dans la vie; ou vous recevez un beau cadeau d'un ami.

ROI DE TRÈFLE (VOCATION): Un ami vous aidera dans votre recherche d'une situation ou vous influencera dans ce que vous faites; ou les gens avec qui vous travaillez sont de bons amis.

DAME DE TRÈFLE (CONSULTANT): Vous aurez de nombreux amis; ou un ami très cher désire vous aider et vous protéger. Vous vous ferez un nouvel et adorable ami.

VALET DE TRÈFLE (FAMILLE): Un proche parent se révélera un véritable ami au moment où vous en aurez le plus besoin; ou un membre de votre famille vous apportera son aide lorsque vous serez absent.

DIX DE TRÈFLE (VOYAGES): Vous êtes en train de faire de gros changements dans vos amitiés; ou, lors d'un voyage, vous vous créez un nouveau cercle d'amis; ou un changement quelconque est prévu; ou vous rendez visite à un ami; ou un ami vient vous voir.

NEUF DE TRÈFLE (CHANCE): Par l'intermédiaire d'un ami, Dame Fortune vous sourit; ou certains de vos amis sont favorisés par la chance, grâce à vous.

HUIT DE TRÈFLE (CONSÉCRATION): Vous arriverez à vos fins par l'intermédiaire d'un ami; ou vos amis vous aideront à trouver un travail; ou à réussir dans ce que vous entreprendrez.

SEPT DE TRÈFLE (MESSAGES): Un ami vous fournira de bonnes nouvelles dans le domaine financier; ou un ami vous achète votre affaire, si vous en avez une à vendre; ou vous aide à la gérer; ou vous avez une discussion d'affaires par téléphone.

L'amitié est la grande chaîne qui maintient la société des hommes en vie et l'échange de lettres est l'un des principaux chaînons de cette chaîne.

James Howell

LES PIQUES

AS DE PIQUE (MORT): Au cours de votre vie, vous aurez un ami qui travaille dans le domaine de l'abattage des animaux, des pompes funèbres, de la fabrication de cercueils ou autres métiers reliés à la mort; ou vous pourriez perdre un ami.

ROI DE PIQUE (VISITEUR): Vous pourrez compter sur l'aide d'un ami au moment où vous en aurez le plus besoin; ou un représentant de la loi vous traitera en ami. Vous bénéficierez d'une aide amicale.

DAME DE PIQUE (GRATITUDE): Un bon ami vaut mieux qu'une douzaine de connaissances; ou la semaine prochaine, vous aurez besoin de toute votre lucidité pour décider d'accepter ou de rejeter une proposition qui vous sera faite.

VALET DE PIQUE (ORIENTATION): Vous ne devriez pas faire confiance à tout le monde: tous ne sont pas vos amis; ou celui qui prétend l'être pourrait ne pas s'avérer fiable et vous causer des ennuis; ou vous entendrez un ami à la radio ou à la télévision.

DIX DE PIQUE (SOLEIL): On vous présentera quelque chose qui vous semblera être un bon investissement. Pourtant méfiez-vous, même si cela vient d'un ami qui agit en toute bonne foi. Examinez avec attention toute offre qui vous sera faite.

NEUF DE PIQUE (DÉCEPTIONS): Vous perdrez un ami; ou vous essuyez une perte à cause d'un investissement recommandé par un ami; prêter de l'argent à un ami n'est pas indiqué si vous voulez conserver son amitié; ou vous aurez des mots aigres-doux avec quelqu'un.

HUIT DE PIQUE (PROBLÈMES): Des amis vous causent des ennuis. Attention, choisissez mieux les gens que vous fréquentez; ou vous aiderez un ami dans le besoin; ou des amis viendront vous parler des problèmes qu'ils ont avec vous.

SEPT DE PIQUE (SANTÉ): Vous serez affligé par l'état de santé d'un ami; ou un très bon ami vous aidera à recouvrer la santé, si vous êtes malade; ou vous avez un ami très proche qui est infirmière ou médecin.

MAISON DES CADEAUX

LES CŒURS

AS DE CŒUR (FOYER): Dans la maison des cadeaux, cette carte signifie que vous allez recevoir un cadeau pratique pour la maison, comme des meubles, des objets d'art ou quelque chose d'utile.

ROI DE CŒUR (JOIE et BIEN-ÊTRE): Vous recevrez un cadeau de quelqu'un qui a vos intérêts à cœur; une chose que vous apprécierez beaucoup; ou vous ferez plaisir à d'autres personnes en leur faisant ou en leur donnant quelque chose.

DAME DE CŒUR (AMITIÉ): Un de vos amis va vous apporter un très beau cadeau, quelque chose que vous désiriez depuis très longtemps.

VALET DE CŒUR (CÉLÉBRITÉ et NOTORIÉTÉ): C'est en participant à un concours très populaire annoncé à la radio ou dans les journaux que vous allez recevoir un cadeau. Si vous n'avez pas participé à ce genre de concours jusqu'à présent, faites-le et gagnez! Si vous êtes jeune, on vous offrira de faire quelque chose d'intéressant devant le public, parce que vous le méritez.

DIX DE CŒUR (MARIAGE et UNION): Vous donnerez ou recevrez un cadeau. Si vous êtes marié, un cadeau d'anniversaire de mariage ou de naissance ou de remise de diplôme.

NEUF DE CŒUR (DÉSIR et SOUHAIT): Si vous avez souhaité recevoir un certain cadeau, vous l'obtiendrez dès que l'on aura trouvé le moyen de vous l'offrir. Si vous cherchez un objet précis pour faire un cadeau, vous allez le trouver; ou vous allez savoir quoi offrir.

HUIT DE CŒUR (LUNE): Un cadeau vous parviendra de votre ami de cœur, si vous êtes célibataire; ou un présent d'une personne qui vous est très chère; ou un don de la part d'un membre de votre famille.

SEPT DE CŒUR (PLAISIR): Vous allez recevoir quelque chose qui vous comblera: un nouveau système de son, un instrument de musique; un objet qui vous apportera beaucoup de plaisir. Cela pourrait être une auto ou une nouvelle maison.

LES CARREAUX

AS DE CARREAU (NOUVEAU PROJET): Un projet vous est offert, comme un cadeau de reconnaissance pour une faveur passée; un prix de mérite, une récompense; ou c'est vous qui ferez les cadeaux.

ROI DE CARREAU (DOCUMENTS JURIDIQUES): Vous recevrez un cadeau sous forme d'acte notarié, de bons ou d'actions ou tout autre chose pouvant être notée sur papier; ou vous aurez besoin de l'aide d'un homme de loi afin de conserver quelque chose qui vous a été offert; ou un médecin vous donnera de bons conseils.

DAME DE CARREAU (SAISONS): Avant la fin de cette saison, on vous donnera quelque chose que vous désirez depuis longtemps; ou un présent d'une personne âgée. Ce sera un cadeau très attendu.

VALET DE CARREAU (LETTRES): Des nouvelles fraîches vous parviendront au sujet d'un cadeau que vous allez recevoir; ou un cadeau musical ou fleuri.

DIX DE CARREAU (ARGENT et RICHESSE): Vous recevrez un cadeau tout à fait inattendu représentant une petite somme d'argent.

NEUF DE CARREAU (SURPRISES): Une surprise vous attend au sujet d'un cadeau que vous allez recevoir; des vêtements ou quelque chose de très personnel.

HUIT DE CARREAU (HÉRITAGE): Vous hériterez de quelque chose, ou cela vous sera donné et vous allez le partager avec d'autres personnes. Hériter veut dire recevoir.

SEPT DE CARREAU (RÉUSSITE et SUCCÈS): On vous apporte une chose qui vous aidera dans votre vie professionnelle: une nouvelle machine à écrire, une auto, etc., quelque chose qui pourra vous être utile pour votre travail; si vous restez chez vous, ce sera pour la maison; ou vos affaires marchent bien, vos marchandises se vendent, ou on vous fera une offre avantageuse.

MAISON DES CADEAUX

LES TRÈFLES

AS DE TRÈFLE (CADEAUX): Vous allez recevoir un cadeau que vous désiriez depuis longtemps; quelque chose de beau et d'utile à la fois; ou une grosse somme d'argent. Beaucoup de jolis cadeaux vous attendent!

ROI DE TRÈFLE (VOCATION et PROFESSION): Que vous travailliez ou que vous soyez encore étudiant, vous recevrez un présent; ou quelqu'un vous fera un cadeau pour une faveur que vous lui avez accordée; ou on vous offrira, contre un travail minime, une prime ou une indemnité.

DAME DE TRÈFLE (CONSULTANT): Vous recevrez un cadeau inattendu, quelque chose de personnel comme des vêtements; ou quelque chose que vous allez utiliser personnellement; ou un don en argent.

VALET DE TRÈFLE (FAMILLE): Attendez-vous à recevoir un cadeau d'un proche (ami ou membre de votre famille), un petit cadeau que vous désirez depuis longtemps; ou un parent ou un intime se souviendra de vous dans ses dernières volontés.

DIX DE TRÈFLE (VOYAGES et DÉPLACEMENTS): Un cadeau vous vient de loin; ou un colis que vous aviez commandé arrive finalement.

NEUF DE TRÈFLE (CHANCE): Un cadeau vous tombe du ciel, soit que vous l'ayez gagné, soit que vous trouviez quelque chose sans pouvoir situer le propriétaire.

HUIT DE TRÈFLE (CONSÉCRATION): C'est grâce à une de vos réalisations que vous recevez un cadeau; ou si vous êtes dans le domaine des affaires, vous augmenterez vos ventes en donnant des primes, ou vous allez fabriquer des articles qui seront utilisés comme cadeaux; ou on vous offre une possibilité d'association.

SEPT DE TRÈFLE (MESSAGES): Quelqu'un vous annonce au téléphone qu'il a un cadeau pour vous; ou des visiteurs viennent vous montrer un cadeau: une nouvelle automobile ou quelque chose qu'ils peuvent apporter avec eux; ou un cadeau provenant d'une émission de radio.

Donnez et l'on vous donnera
en bonnes mesures, tassées, secouées, débordantes.

Luc VI,38

LES PIQUES

AS DE PIQUE (MORT): Vous recevrez un cadeau à la suite d'un décès; ou vous détesterez ce que l'on vous donnera et vous l'échangerez ou vous vous en débarrasserez; ou vous expédierez des fleurs pour un enterrement.

ROI DE PIQUE (VISITEUR): Lors de sa visite, une personne vous remettra quelque chose que vous n'aimez pas ou que vous ne vouliez pas avoir; ou une décision juridique en votre faveur. Si vous êtes militaire, une promotion vous attend.

DAME DE PIQUE (GRATITUDE): Quelqu'un qui vous est reconnaissant vous fait un cadeau; ou une personne ingrate essaiera d'empêcher que l'on vous remette un cadeau qui doit vous revenir; ou une personne vous manifestera sa joie et vous sera reconnaissante pour les vêtements dont vous ne vouliez plus et que vous lui avez remis.

VALET DE PIQUE (ORIENTATION): Vous découvrez avec tristesse qu'une personne en qui vous aviez confiance fait preuve d'hypocrisie. Cette personne ne songe en fait qu'à ses propres intérêts. Faites plus attention à la qualité de ce que vous achetez.

DIX DE PIQUE (SOLEIL): Vous allez recevoir un cadeau que vous attendiez depuis longtemps; ou un investissement dans le domaine pétrolier ou minier rapporte des dividendes.

NEUF DE PIQUE (DÉCEPTIONS et CONFLITS): Déception à la réception d'un cadeau; ou il arrive endommagé lors du transport; ou vous êtes déçu de ne pas recevoir le cadeau promis; ou des vêtements ou autres achats se révèlent être d'une qualité bien inférieure à celle que vous espériez lors de l'achat. Perte occasionnée par des articles de mauvaise qualité ou retard à la livraison.

HUIT DE PIQUE (PROBLÈMES): Des problèmes vont surgir lors de la remise d'un cadeau; ou dans la conclusion d'une transaction immobilière.

SEPT DE PIQUE (SANTÉ): On vous offre quelque chose qui aura un effet bénéfique sur votre santé; ou vous jouissez d'une excellente santé; ou une personne que vous avez aidée sur le plan sanitaire vous fera un cadeau; ou vous améliorerez votre santé en développant de bonnes habitudes de vie.

MAISON DES LETTRES

LES CŒURS

AS DE CŒUR (FOYER): Dans la maison des lettres, cette carte signifie que vous allez recevoir une lettre qui vous apportera des nouvelles de ceux que vous aimez, si vous êtes loin d'eux; ou du courrier d'un ami ou d'un parent en train de construire une maison ou d'emménager dans une nouvelle résidence. Cette lettre contiendra certains renseignements au sujet d'une maison; ou une demeure pour vous.

ROI DE CŒUR (JOIE et BIEN-ÊTRE): Attendez-vous à recevoir une lettre d'une personne qui a de l'affection pour vous; ou une invitation qui vous fera plaisir.

DAME DE CŒUR (AMITIÉ): Vous recevrez de bonnes nouvelles d'un ami. Une lettre qui vous racontera des choses agréables.

VALET DE CŒUR (CÉLÉBRITÉ et NOTORIÉTÉ): C'est par l'écriture que vous vous ferez connaître; ou c'est grâce à votre notoriété que vos services seront réclamés par lettre. Si vous évoluez dans le monde du spectacle, vous recevrez une lettre de votre agent.

DIX DE CŒUR (MARIAGE et UNION): Vous allez recevoir une invitation à un mariage; ou vous allez recevoir une lettre vous annonçant un mariage; ou un document d'affaires, ou c'est vous qui expédierez le même genre de document.

NEUF DE CŒUR (DÉSIR et SOUHAIT): Si c'est une lettre que vous désirez recevoir, vous serez exaucé; ou vous recevrez du courrier concernant votre souhait.

HUIT DE CŒUR (LUNE): Si vous êtes célibataire, vous recevrez une lettre de quelqu'un qui vous aime; ou du courrier vous apportant de bonnes nouvelles.

SEPT DE CŒUR (PLAISIR): De bonnes nouvelles vous rempliront de bonheur; cela pourrait être dans les sept prochains jours.

LES CARREAUX

AS DE CARREAU (NOUVEAU PROJET): Très prochainement, un nouveau projet, venant d'un ami, vous sera proposé par lettre, tels des parts dans une affaire; ou un nouveau poste; ou vous enverrez vous-même des annonces publicitaires.

ROI DE CARREAU (DOCUMENTS JURIDIQUES): Vous aurez à signer un document qui vous parvient par la poste; ou une lettre de nature juridique; ou du courrier important pour vous; ou un acte, bail, contrat, testament ou documents juridiques de toutes sortes; ou vous recevrez un dépliant publicitaire au sujet de l'ouverture d'un bureau d'avocats, de notaires ou de médecins.

DAME DE CARREAU (SAISONS): Vous ne devriez pas négliger de répondre à votre courrier, car quelqu'un attend impatiemment de vos nouvelles; ou c'est vous qui avez hâte d'en recevoir. Beaucoup de courrier pour vous dans les trois prochains mois.

VALET DE CARREAU (LETTRES): Vous recevrez une lettre par avion contenant des nouvelles très importantes pour vous. Quelqu'un voudrait que vous alliez le rejoindre et vous ne saurez pas quelle décision prendre. Concentrez-vous. Cela pourrait être un télégramme.

DIX DE CARREAU (ARGENT et RICHESSE): Une lettre parlant d'argent ou contenant un chèque vous parviendra; ou quelqu'un vous demande par courrier de lui prêter un certain montant d'argent. Prenez votre décision après mûre réflexion.

NEUF DE CARREAU (SURPRISES): Vous serez très surpris de recevoir une lettre d'une personne à laquelle vous ne vous attendiez pas; ou une invitation.

HUIT DE CARREAU (HÉRITAGE): Vous recevrez une lettre parlant d'un héritage; ou annonçant une petite somme d'argent; ou contenant une traite ou un chèque.

SEPT DE CARREAU (RÉUSSITE et SUCCÈS): C'est grâce à une lettre que vous réussirez dans ce que vous faites actuellement ou voudriez faire. Cela pourrait être une offre d'emploi, si vous êtes sans travail. Si vous êtes secrétaire, par contre vous aurez à répondre à un courrier monstre.

MAISON DES LETTRES

LES TRÈFLES

AS DE TRÈFLE (CADEAU): Un cadeau vous parviendra par la poste, comme un abonnement à un magazine; ou un livre ou une traite ou mandat; ou vous allez envoyer de l'argent par courrier.

ROI DE TRÈFLE (VOCATION et PROFESSION): Un travail vous sera offert par lettre; ou vous lirez au sujet de quelqu'un ayant obtenu un poste élevé; ou une lettre ou du courrier influencera votre travail actuel. De la publicité est dans l'air.

DAME DE TRÈFLE (CONSULTANT): Prochainement, vous recevrez une lettre traitant d'un sujet très personnel; ou vous venez d'en recevoir une et vous y réfléchissez. Beaucoup de courrier vous attend.

VALET DE TRÈFLE (FAMILLE): Votre famille et vos proches aimeraient que vous écriviez plus souvent; ou vous recevrez une lettre, avec beaucoup de retard, d'un parent ou d'un ami très proche; ou on vous demandera de lire une lettre.

DIX DE TRÈFLE (VOYAGES et DÉPLACEMENTS): Une lettre vous parviendra de loin, par delà les océans; ou vous allez en envoyer une; ou vous ferez un voyage après avoir reçu une lettre; ou quelqu'un vous invite à faire un voyage.

NEUF DE TRÈFLE (CHANCE): Une lettre vous informe de votre bonne fortune; ou vous participez à un concours et vous gagnez; ou vous aurez un gros coup de chance.

HUIT DE TRÈFLE (RÉUSSITE et SUCCÈS): C'est en accomplissant quelque chose que la chance vous sourit; ou on vous fait une proposition de travail par lettre.

SEPT DE TRÈFLE (MESSAGES): Vous recevrez une lettre; aussi des nouvelles pressées au sujet de papiers importants. Un appel interurbain ou un télégramme lu au téléphone.

LES PIQUES

AS DE PIQUE (MORT): On vous informe par écrit du décès de quelqu'un; ou d'un divorce ou d'une séparation, ou quelque chose comme une coupure d'avec sa famille pour aller vivre ailleurs.

ROI DE PIQUE (VISITEUR): On vous apportera des nouvelles qui ne vous intéressent pas de près ou de loin; ou une lettre ou un agent de recouvrement viendra réajuster une facture; ou vous recevez un ordre de la cour; ou un visiteur vous présente des documents à lire.

DAME DE PIQUE (GRATITUDE): Une personne ingrate vous demandera votre avis à propos d'une difficulté, ou vous demandera de prendre une décision. Faites attention à ce que vous écrivez dans une lettre; laissez les gens prendre leurs propres décisions; ou vous serez heureux de recevoir une certaine lettre.

VALET DE PIQUE (ORIENTATION): Vous recevrez une lettre dérangeante; ou une lettre d'une personne rancunière; ou une facture injuste; ou des circulaires; ou beaucoup de courrier si vous êtes dans les affaires – bonne publicité – ou un travail à la radio ou dans la publicité; ou un concours gagné à la radio.

DIX DE PIQUE (SOLEIL): Vous recevrez une lettre qui sera comme un rayon de soleil dans votre vie; ou, si vous en avez fait, des investissements vous rapporteront, vous permettant ainsi de faire un beau voyage ou de prendre des vacances; ou un meilleur revenu grâce à un investissement.

NEUF DE PIQUE (DÉCEPTIONS et CONFLITS): On vous informe par lettre que vous avez perdu quelque chose; ou vous perdrez de l'argent par un investissement éloigné; ou perte d'une lettre dans le courrier; ou vous serez déçu de ne pas recevoir de nouvelles de quelqu'un.

HUIT DE PIQUE (PROBLÈMES): Vous recevrez une lettre annonçant des problèmes; vous avez des ennuis au sujet d'une lettre que vous avez écrite; une inquiétude quelconque; ou un ami se vide le cœur dans une lettre, réconfortez-le.

SEPT DE PIQUE (SANTÉ): Vous recevrez un écrit vous donnant des nouvelles sur la santé de quelqu'un ou s'enquérant de la vôtre. Cet écrit est important de diverses façons; cela pourrait être des indications pour un régime ou un magazine sur la santé.

MAISON DES PROBLÈMES

LES CŒURS

AS DE CŒUR (FOYER): Dans la maison des problèmes, cette carte signifie que la confusion qui règne chez vous, le désordre, les disputes vous rendent malheureux; ou vous avez des problèmes pour trouver un endroit où vous pourriez vous installer ou effectuer vos achats.

ROI DE CŒUR (JOIE et BIEN-ÊTRE): Des ennuis ou de l'inquiétude pointent à l'horizon, mais vous serez aidé par une personne qui vous veut du bien.

DAME DE CŒUR (AMITIÉ): Vous aiderez un ami en difficulté; ou aide amicale prévue.

VALET DE CŒUR (CÉLÉBRITÉ et NOTORIÉTÉ): Vous apprendrez que quelqu'un colporte des ragots à votre sujet et vous vous sentirez mal; ou votre popularité en prendra un coup lorsque vous commettrez une indiscrétion. Faites attention.

DIX DE CŒUR (MARIAGE et UNION): Si vous êtes marié, vous pourriez avoir «une prise de bec» avec votre conjoint; ou une querelle d'amoureux; ou une brouille entre amis. Rappelez-vous que nul n'est parfait.

NEUF DE CŒUR (DÉSIR et SOUHAIT): Vous vous inquiéterez au sujet de votre souhait ou vous aurez certains obstacles à surmonter pour obtenir ce que vous désirez. Cela ne veut pas dire que vous ne l'obtiendrez pas; vous pourriez par contre rencontrer quelques difficultés après avoir obtenu ce que vous vouliez, et l'attente est souvent meilleure que la réalisation elle-même.

HUIT DE CŒUR (LUNE): Il y a des problèmes dans votre vie affective; avec votre amoureux, votre conjoint, vos amis ou vos enfants; ou une dispute avec un employé subalterne; il y a de la colère dans l'air!

SEPT DE CŒUR (PLAISIR): La jalousie pourrait gâcher votre vie; bien des tracas et des problèmes en découleront. Des remarques désobligeantes ou méchantes sont prévisibles.

Il arrive parfois que nous ne puissions plus faire un pas devant nous et pourtant, cinq ans plus tard, nous nous retrouvons en train de manger et de dormir quelque part.

Chrysis

LES CARREAUX

AS DE CARREAU (NOUVEAU PROJET): Ce n'est pas le moment pour vous de commencer quelque chose de nouveau; vous aurez beaucoup d'appréhension et de crainte, arrêtez de vous faire du souci pour l'avenir.

ROI DE CARREAU (DOCUMENTS JURIDIQUES): Vous aurez plusieurs sortes de problèmes avec les papiers; ou il vous arrivera quelque chose qui vous causera beaucoup de tracas et où les services d'un avoué pourraient être requis; ou d'importants papiers égarés vous causeront bien des soucis; ou poursuite judiciaire pour des papiers que vous avez signés; ou vous n'aimez pas le travail que vous a fait votre dentiste, ou un traitement pour votre santé.

DAME DE CARREAU (SAISONS): Des gens âgés vous causent beaucoup de soucis. Ne vous en faites pas! Avec le temps, les choses s'arrangeront d'elles-mêmes; concentrez-vous pour savoir ce que vous voulez changer.

VALET DE CARREAU (LETTRES): Vous recevrez une lettre déplaisante qui vous donne beaucoup de soucis; une facture injustifiée; quelque chose de très désagréable; ou des nouvelles de quelqu'un d'autre envahi par les problèmes; ou un procès suivi dans le journal.

DIX DE CARREAU (ARGENT et RICHESSE): Vous aurez des problèmes pour récupérer de l'argent qui vous est dû; ou des problèmes financiers; ou une indication d'ennuis d'argent. Réjouissez-vous! Tout va changer bientôt.

NEUF DE CARREAU (SURPRISES): Vous serez désagréablement surpris d'être blâmé injustement pour une faute que vous n'avez pas commise; ou par des problèmes dont vous avez entendu parler; ou par un obstacle à surmonter.

HUIT DE CARREAU (HÉRITAGE): Vous aurez des ennuis avec un cadeau reçu; ou un paiement retardé dans le remboursement de votre argent.

SEPT DE CARREAU (RÉUSSITE et SUCCÈS): Vous êtes inquiet de votre avenir. Ne le soyez pas! Souvenez-vous que les oiseaux et les fleurs ne sont pas meilleurs que vous et que, pourtant, la nature s'occupe d'eux; ou vous vous en faites parce que certaines choses que vous escomptiez ont été remises. Rappelez-vous qu'il n'arrive que ce qui doit arriver.

MAISON DES PROBLÈMES

LES TRÈFLES

AS DE TRÈFLE (CADEAU): Vous avez des ennuis avec un cadeau, il pourrait avoir été endommagé dans le transport; ou vous vous inquiétez pour quelque chose dont vous avez grande envie; ou à propos d'une âpre discussion pour quelque chose que vous avez acheté.

ROI DE TRÈFLE (VOCATION et PROFESSION): Vous avez des problèmes à votre travail, en cherchant du travail; ou en ce qui concerne le travail. Relaxez et changez ces vibrations.

DAME DE TRÈFLE (CONSULTANT): Des problèmes vous tracassent ou le feront bientôt. Concentrez-vous, surmontez-les ou esquivez-les. Relaxez-vous, souriez, ils disparaîtront. Ne vous en faites pas pour rien!

VALET DE TRÈFLE (FAMILLE): Des membres de votre famille vous causeront de sérieux problèmes; ou vos proches, parents et amis, pourraient vous être d'une grande utilité.

DIX DE TRÈFLE (VOYAGES et DÉPLACEMENTS): Vous aurez des ennuis lors d'un déplacement; vous pourriez recevoir une contravention; ou avoir des problèmes de voiture; ou vous êtes indécis sur le fait de partir ou pas en voyage. Prenez votre décision, puis tenez-vous-y.

NEUF DE TRÈFLE (CHANCE): Un malentendu tournera en votre faveur parce que vous êtes droit et honnête.

HUIT DE TRÈFLE (CONSÉCRATION): Vous avez des ennuis avec quelque chose que vous faites ou que vous étudiez; ou des problèmes de liquidité dans vos affaires. Relaxez-vous, changez les vibrations et surveillez le changement.

SEPT DE TRÈFLE (MESSAGES): Un message vous causera des ennuis ou une conversation téléphonique vous irritera au plus haut point.

Comme les plantes aromatiques qui ne donnent pas leur parfum odorant lors de leur croissance; mais lorsqu'écrasées et piétinées sur le sol, embaument alors l'air de leur senteur.

Oliver Goldsmith

LES PIQUES

AS DE PIQUE (MORT): Ennuis en perspective à la suite d'un décès, pas nécessairement dans votre famille immédiate. Il pourrait être relié à vos associés dans les affaires ou à l'endroit où vous travaillez; ou la mort d'un de vos professeurs à l'école pourrait retarder vos études. Beaucoup de tracas et de tristesse en prévision.

ROI DE PIQUE (VISITEUR): Problèmes avec la justice. Faites attention à la vitesse en voiture ou en concluant des affaires avec une mauvaise compagnie, ou avec un fauteur de troubles, ou avec quelqu'un qui vous relate ses ennuis.

DAME DE PIQUE (GRATITUDE): Des amis que vous avez déjà aidés auparavant sont furieux parce qu'ils ne peuvent plus se servir de vous. Annonce des gens ingrats.

VALET DE PIQUE (ORIENTATION): Un fauteur de troubles essaie de vous amadouer et colporte des nouvelles à votre sujet; une personne qui se mêle des affaires des autres; ou vous entendrez parler d'un accident d'avion.

DIX DE PIQUE (SOLEIL): Vous avez eu des ennuis d'argent récemment; ou des problèmes avec une ferme, si vous en avez une. Concentrez-vous sur ce qui peut causer ces tracas. Rappelez-vous, dans chaque vie, qu'après la pluie vient le beau temps.

NEUF DE PIQUE (DÉCEPTIONS et CONFLITS): Vous avez eu ou vous aurez de nombreuses déceptions; ou d'autres problèmes retardent votre progression. Faites une évaluation de votre attitude mentale; cela pourrait être la cause profonde de vos déceptions.

HUIT DE PIQUE (PROBLÈMES): Problèmes, tracas, idées noires vous tombent dessus. Changez-vous les idées!

SEPT DE PIQUE (SANTÉ): Vous vous faites du souci parce que vous êtes malade ou souffrant. Évitez cela en prenant soin de votre santé. Ou vous avez le cœur gros et le cafard; réjouissez-vous, vos meilleures années sont devant vous; ou crise de larmes à des funérailles.

Ne nous laissons pas abattre par les difficultés et n'oublions surtout pas que les malheurs les plus durs à supporter sont ceux qui n'arrivent jamais.

James Russell Lowell

MAISON DES DÉCEPTIONS

LES CŒURS

AS DE CŒUR (FOYER): Dans la maison des déceptions, cette carte signifie que vous avez perdu votre maison; ou égaré quelque chose à l'intérieur de votre foyer; ou vous n'aimez pas la demeure où vous habitez. Soyez prudent et méfiez-vous. Cela peut être évité si la perte n'a pas eu lieu.

ROI DE CŒUR (JOIE et BIEN-ÊTRE): Vous désirez être gentil avec une personne, mais vous serez quelque peu déçu par son attitude; ou quelqu'un sera déçu par la vôtre.

DAME DE CŒUR (AMITIÉ): Vous êtes déçu par un ami ou vous perdrez une amitié. Une perte est indiquée.

VALET DE CŒUR (CÉLÉBRITÉ et NOTORIÉTÉ): Vous êtes déçu de ne pas avoir la popularité à laquelle vous vous attendiez; ou de l'avoir perdue; ou vous pourriez devenir impopulaire à la suite d'actions, de paroles ou de gestes posés. Prenez garde à vos paroles et à vos actes.

DIX DE CŒUR (MARIAGE et UNION): Vous êtes déçu par l'annonce d'un quelconque mariage; ou vous perdrez quelqu'un de très cher à la suite de son mariage et d'un déménagement. Si vous êtes dans les affaires, vous aurez une déception, car vous attendrez en vain l'évolution de la situation; ou une réunion d'affaires sera reportée.

NEUF DE CŒUR (DÉSIR et SOUHAIT): Vous seriez perdant ou déçu si votre vœu se réalisait; ou un retard est prévu dans l'accomplissement de votre souhait.

HUIT DE CŒUR (LUNE): Vous serez déçu par quelqu'un que vous chérissez; ou une séparation ou un divorce; ou un engagement ou un divorce remis à plus tard.

SEPT DE CŒUR (PLAISIR): Vous serez invité à une réception qui sera plus tard annulée; ou une déception dans quelque chose qui devait vous apporter un grand bonheur.

LES CARREAUX

AS DE CARREAU (NOUVEAU PROJET): Ne commencez rien de nouveau en ce moment, vous seriez déçu. Une perte quelconque concernant un investissement est à prévoir; ou un retard (ce qui sera la meilleure chose pouvant vous arriver).

ROI DE CARREAU (DOCUMENTS JURIDIQUES): Vous pourriez égarer un document très important, ce qui vous causera bien des problèmes; ou la perte de certains documents sera si grave qu'elle nécessitera l'intervention d'un avoué pour y mettre bon ordre; ou vous aurez besoin de consulter votre dentiste.

DAME DE CARREAU (SAISONS): Le temps joue en votre défaveur, causant la perte d'une vieille amitié ou une rupture dans vos relations affectives. Une longue attente est prévue.

VALET DE CARREAU (LETTRES): Vous serez déçu par le contenu d'une lettre; ou vous aurez une déception en ne recevant pas un document important pour vous; ou vous recevrez une lettre vous annonçant une perte subie par quelqu'un d'autre.

DIX DE CARREAU (ARGENT et RICHESSE): Votre déception viendra d'une somme d'argent que vous auriez dû recevoir; ou le recouvrement d'une dette; ou une diminution de votre salaire à la suite de coupures du temps de travail; ou un projet vous rapportant une commission tombe à l'eau. Une perte d'argent semble inévitable ici, comme la perte de votre portefeuille. Mais souvent une perte amène plus tard un gain.

NEUF DE CARREAU (SURPRISES): Vous serez désagréablement surpris et déçu du comportement d'une personne en qui vous aviez mis toute votre confiance, mais finalement ce sera pour votre bien; une rupture est annoncée.

HUIT DE CARREAU (HÉRITAGE): Si vous vous attendiez à recevoir un héritage, vous serez déçu du montant reçu. Quelle que soit la nature de ce que vous recevrez, ce sera de peu de valeur; ou une perte pour vous; ou un retard dans le règlement d'une succession.

SEPT DE CARREAU (RÉUSSITE et SUCCÈS): Vous êtes ou serez déçu de votre progression ou de votre réussite. Changez votre façon de voir la vie, le succès viendra à vous.

MAISON DES DÉCEPTIONS

LES TRÈFLES

AS DE TRÈFLE (CADEAU): Vous serez déçu en ne recevant pas, comme convenu, un cadeau; ou en le recevant endommagé; ou en vous faisant dérober une chose de grande valeur. Soyez particulièrement attentif à vos vêtements.

ROI DE TRÈFLE (VOCATION et PROFESSION): Vous pourriez être découragé par votre travail; ou vous perdrez votre emploi; ou vous aurez une déception en affaires, comme l'annulation d'un contrat. C'est une déception touchant ce que vous ou l'un de vos proches fait actuellement. Elle aura des conséquences sur l'aide dont vous bénéficiez; ou un retard dans l'achèvement d'un travail.

DAME DE TRÈFLE (CONSULTANT): Vous faites face actuellement à une perte grave ou vous vous faites du souci à propos d'une perte anticipée. Il y a une perte ou une déception quelconque. Soyez particulièrement attentif à vos effets personnels: sac à main, argent, etc.; ou vous subirez un retard dans ce que vous voulez réaliser.

VALET DE TRÈFLE (FAMILLE): Vous serez dégoûté par certains membres de votre famille; ou un ami vous cause une grande déception.

DIX DE TRÈFLE (VOYAGES et DÉPLACEMENTS): Vous serez déçu par un quelconque déplacement; ou vous vous sentirez mal parce qu'une personne devra vous quitter pour entreprendre un voyage.

NEUF DE TRÈFLE (CHANCE): Une déception se transformera en coup de chance; ou vous éviterez un accident ou autre événement fâcheux en annulant votre participation à un voyage ou en omettant de faire quelque chose.

HUIT DE TRÈFLE (CONSÉCRATION): Vous serez déçu en n'atteignant pas votre but; ou une déception en affaires tournera en votre faveur.

SEPT DE TRÈFLE (MESSAGES): Vous serez déçu de ne pas recevoir la visite de gens qui avaient pourtant annoncé leur arrivée imminente par téléphone; ou l'annulation d'une réunion d'affaires; ou quelqu'un vous téléphonera pour vous informer d'une perte quelconque.

LES PIQUES

AS DE PIQUE (MORT): Vous serez déçu d'avoir à couper les ponts avec certaines personnes; ou une perte à la suite du décès de quelqu'un. Une bien triste déception.

ROI DE PIQUE (VISITEUR): Vous devriez être prudent avec vos biens si vous ne voulez pas que quelque chose se perde. Vous pourriez, à la suite d'un vol, devoir appeler la police ou vous rendre au tribunal pour une histoire de voiture volée; ou un visiteur vous informera d'une quelconque disparition.

DAME DE PIQUE (GRATITUDE): Une personne ingrate vous inflige une perte décevante; peut-être quelqu'un qui s'ingénie à semer la zizanie chez vous ou qui voudrait vous faire perdre votre travail. Vous rencontrerez une personne rancunière.

VALET DE PIQUE (ORIENTATION): Quelqu'un cherche à vous induire délibérément en erreur en vous donnant une mauvaise adresse lors de l'achat de quelque chose ou en vous donnant des indications erronées. Cela vous perturbera et engendrera une perte de temps. Il y a de la duperie dans l'air; ou vous serez ennuyé par de piètres messages publicitaires.

DIX DE PIQUE (SOLEIL): Vous serez déçu, mais cette déception vous permettra d'augmenter votre savoir, ce qui vous sera, avec le temps, très profitable. Pertes et gains sont annoncés. Vous pourriez effectuer l'acquisition d'actions.

NEUF DE PIQUE (DÉCEPTIONS et CONFLITS): Vous êtes déçu ou vous le serez; ou vous souffrirez d'une perte grave. Une tragédie se dessine mais peut encore être évitée; ou vous verrez vos plans contrecarrés (pour votre bien).

HUIT DE PIQUE (PROBLÈMES): Problèmes et déceptions seront au programme s'ils n'y sont pas déjà. Empoignez vos problèmes comme si c'était des orties, vous ne serez pas blessé. Faites attention où vous allez, en particulier si vous prenez le volant.

SEPT DE PIQUE (SANTÉ): Votre santé ou celle d'une autre personne vous cause bien des désagréments et du retard; ou la mauvaise santé de quelqu'un perturbera votre situation financière; ou ces problèmes d'argent vous rendront instable et soucieux.

MAISON DE LA MORT

LES CŒURS

AS DE CŒUR (FOYER): Dans la maison de la mort, cette carte signifie que vous devriez faire attention à la maladie, chez vous; ou quelqu'un qui a été malade récemment va se remettre; ou vous nettoierez et rénoverer votre maison.

ROI DE CŒUR (JOIE et BIEN-ÊTRE): Mort d'une personne à qui vous portiez beaucoup d'affection; cela pourrait être un proche.

DAME DE CŒUR (AMITIÉ): Vous apprendrez la mort d'un ami très cher; ou le décès d'une femme très en vue vous est annoncé.

VALET DE CŒUR (CÉLÉBRITÉ et NOTORIÉTÉ): Vous apprendrez la mort d'une personne très populaire ou très célèbre.

DIX DE CŒUR (MARIAGE et UNION): Vous apprendrez le décès d'une personne jeune ou nouvellement mariée; ou c'est le dénouement salutaire d'une vieille situation dans votre vie; ou vous changerez d'associé.

NEUF DE CŒUR (DÉSIR et SOUHAIT): Votre souhait prendra forme avec la mort de quelqu'un qui y était relié; ou, à cause d'un décès soit votre vœu sera exaucé, soit il ne se réalisera pas; ou en abandonnant une vieille habitude votre souhait se réalisera.

HUIT DE CŒUR (LUNE): La mort d'un ami vous désolera; ou une personne que vous aimez vivra un deuil et vous partagerez sa tristesse; ou il y aura un bris d'engagement.

SEPT DE CŒUR (PLAISIR): Un animal auquel vous étiez très attaché vous est dérobé ou meurt et cela vous rend malheureux. Problèmes de voisinage ou perte de quelqu'un dans votre entourage immédiat.

LES CARREAUX

AS DE CARREAU (NOUVEAU PROJET): Le décès de quelqu'un déterminera pour vous une toute nouvelle condition de vie; ou un nouveau projet vous attend à la mort d'une personne; ou vous ferez un changement complet dans votre vie.

ROI DE CARREAU (DOCUMENTS JURIDIQUES): Vous apprendrez la mort de quelqu'un de très célèbre; ou vous aurez à signer un certificat de décès; ou vous devrez porter des papiers se rapportant aux arrangements faits à la suite d'un décès. Indique aussi la mort d'un éminent spécialiste; ou vous abandonnerez une chose pour une autre en signant un document.

DAME DE CARREAU (SAISONS): Nul décès n'est à prévoir dans votre famille immédiate pour quelque temps.

VALET DE CARREAU (LETTRES): Vous serez informé par lettre qu'un proche, ami ou parent, a subi une opération qui pourrait s'avérer fatale; rapide communiqué vous annonçant une mort.

DIX DE CARREAU (ARGENT et RICHESSE): Vous pourriez retirer des bénéfices à cause de la mort de quelqu'un; ou vous n'aurez rien à débourser pour les soins d'une personne malade.

NEUF DE CARREAU (SURPRISES): Vous serez surpris d'apprendre un accident ou un décès, peut-être s'agit-il d'un ami très proche.

HUIT DE CARREAU (HÉRITAGE): Au décès de quelqu'un, vous hériterez d'une somme d'argent ou de bijoux qui vous plaisent.

SEPT DE CARREAU (RÉUSSITE et SUCCÈS): Votre succès dépend de la mort de quelqu'un, vous pourriez lui succéder au travail. Ce décès vous est bénéfique; ou vous pourriez devoir changer totalement vos projets.

Coucher de soleil, la nuit m' appelle
Je pars vers l' inconnu
Que la bière continue à couler dans toutes les tavernes.
Alfred Lord Tennyson

MAISON DE LA MORT

LES TRÈFLES

AS DE TRÈFLE (MORT): Avec le décès de quelqu'un, vous recevrez un présent; ou on vous félicitera d'avoir su rompre avec un ami désagréable.

ROI DE TRÈFLE (VOCATION et PROFESSION): Votre occupation actuelle pourrait bien être perturbée par la mort de quelqu'un; un changement de travail est indiqué; ou l'abandon d'un travail à cause de mauvaises conditions.

DAME DE TRÈFLE (CONSULTANT): Vous devriez faire preuve de prudence, en particulier dans les rues, car une chute semble inévitable. Les accidents peuvent être évités si vous prenez des précautions spéciales lors de tous vos déplacements ou quoi que vous fassiez; ou votre mode de vie va changer.

VALET DE TRÈFLE (FAMILLE): Vous pourriez apprendre le décès d'un parent; ou l'un de vos proches, parent ou ami, pourrait avoir un accident grave.

DIX DE TRÈFLE (VOYAGES et DÉPLACEMENTS): Vous pourriez avoir à vous déplacer à cause d'un décès ou d'un enterrement; ou vous déménagerez dans une autre ville, province ou pays.

NEUF DE TRÈFLE (CHANCE): Vous ou un proche, ami ou parent, échapperez de justesse à un accident.

HUIT DE TRÈFLE (CONSÉCRATION): Vous apprendrez la mort d'un associé ou d'un collègue très proche de vous; ou vous changerez de travail ou de domaine pour vos affaires.

SEPT DE TRÈFLE (MESSAGES): Vous recevrez un message vous annonçant un décès et vous expédierez des fleurs; ou vous apprendrez la maladie d'un ami assez gravement atteint mais qui s'en remettra. La visite d'une personne malade.

LES PIQUES

AS DE PIQUE (MORT): Vous serez témoin d'un grave accident où quelqu'un sera tué; ou vous pourriez être compromis dans un accident. Conduisez avec prudence, vous l'éviterez peut-être.

ROI DE PIQUE (VISITEUR): Une personne avec qui vous parlerez bientôt mourra peu de temps après; ou un policier vient vous parler d'un décès auquel vous avez assisté; ou un accident de la route.

DAME DE PIQUE (GRATITUDE): Un suicide dans votre entourage vous affecte de plusieurs façons; ou quelqu'un pourrait menacer de se suicider.

VALET DE PIQUE (ORIENTATION): Vous vous trompiez au sujet de la santé de quelqu'un que vous pensiez être en pleine forme et qui pourrait mourir bientôt. Cette personne sait qu'elle est malade, mais elle ne vous le dira pas; ou vous apprendrez l'annonce d'un décès à la radio ou à la télévision.

DIX DE PIQUE (SOLEIL): Le soleil brillera à nouveau dans votre vie après la disparition de quelqu'un; peut-être que vous savez ce qui vous attend et de quoi il s'agit; ou une rupture vous attend.

NEUF DE PIQUE (DÉCEPTIONS et CONFLITS): Un décès vous amène une grande perte; ou cela s'est déjà produit; ou vous apprendrez avec du retard la mort de quelqu'un.

HUIT DE PIQUE (PROBLÈMES): Vous vous inquiétez, car vous craignez que quelqu'un que vous aimez ne meure; ou le décès d'un être cher vous fait ou vous fera de la peine, peut-être un animal domestique.

SEPT DE PIQUE (SANTÉ): La mort d'une personne aura une influence positive sur votre santé ou sur celle de quelqu'un d'autre; ou vous entrerez dans une période dépressive et souhaiterez que la mort vienne vous délivrer; ou vous avez besoin de distractions, sortez et voyez du monde.

La mort au-dessus de moi murmure tout bas
Des choses que je ne comprends pas;
De cet étrange langage tout ce que je sais,
C'est que le mot peur n'existe jamais.

Walter Savage Landor

MAISON DU NOUVEAU PROJET

LES CŒURS

AS DE CŒUR (FOYER): Dans la maison du nouveau projet, cette carte indique qu'on vous fera une proposition qui pourra être mise en œuvre à partir de chez vous; ou vous construirez une maison ou ferez des modifications à la vôtre.

ROI DE CŒUR (JOIE et BIEN-ÊTRE): Une personne très raffinée vous proposera de faire quelque chose de nouveau, ses intentions sont pures et vous y trouverez votre compte. Concentrez-vous! Une excellente proposition pour vous.

DAME DE CŒUR (AMITIÉ): Un ami vous offrira de participer à un nouveau projet. Si vous étiez disponible, ce serait une excellente occasion pour vous.

VALET DE CŒUR (CÉLÉBRITÉ et NOTORIÉTÉ): La possibilité qui vous sera offerte pourrait vous conduire à la notoriété et à la prospérité, car vos services seront très demandés.

DIX DE CŒUR (MARIAGE et UNION): Une association de services ou d'affaires vous sera offerte dans votre branche, cela pourrait être une excellente affaire; ou on vous offrira une nouvelle situation. Un contrat sera signé.

NEUF DE CŒUR (DÉSIR et SOUHAIT): Si vous désiriez vous diriger dans le domaine des affaires, vous pourriez réaliser votre souhait.

HUIT DE CŒUR (LUNE): Quel que soit le nouveau projet entrepris, assurez-vous que vous aimez ce que vous faites; sinon vous irez vers un échec ou vous perdrez votre travail.

SEPT DE CŒUR (PLAISIR): Le nouveau projet qui vous est offert vous procurera beaucoup de bonheur. Mais il ne s'agit pas exclusivement d'affaires ou de travail, cela pourrait être quelque chose d'autre. Une nouvelle aventure amoureuse, si vous êtes célibataire.

LES CARREAUX

AS DE CARREAU (NOUVEAU PROJET): Une entreprise nouvelle devrait vous rendre plus prospère, ou vous réussirez dans votre travail actuel. La présence de cette carte sur cette maison est très positive. Votre gagne-pain connaît une amélioration notable.

ROI DE CARREAU (DOCUMENTS JURIDIQUES): Vous signerez des papiers dans le but de vous associer; ou un nouveau projet est dans l'air. Si vous prenez un associé ou si vous vous affiliez avec une autre firme, n'omettez pas d'inscrire noir sur blanc toutes les clauses de votre entente.

DAME DE CARREAU (SAISONS): Une proposition vous est faite par une personne âgée au sujet d'un nouveau projet. Vous y réfléchirez longtemps avant de décider que cela en vaut la peine.

VALET DE CARREAU (LETTRES): Vous recevrez une lettre qui contient une nouvelle proposition; examinez-la bien. Aussi quelque chose relié aux études par correspondance.

DIX DE CARREAU (ARGENT et RICHESSE): En investissant dans une nouvelle compagnie, un nouveau brevet ou une nouvelle invention, vous gagnerez pas mal d'argent bientôt. Investir dans les mines est un peu risqué mais finalement tout se terminera bien. Une nouvelle entreprise vous rapportera de l'argent.

NEUF DE CARREAU (SURPRISES): Une surprise vous attendra au sujet d'une nouvelle entreprise qui vous intéresse ou qui vous est offerte. Ce que vous apprendrez vous servira beaucoup.

HUIT DE CARREAU (HÉRITAGE): Grâce à un héritage ou à un cadeau, vous vous lancerez dans une nouvelle entreprise; cela ne vous rapportera pas un gros montant d'argent; ou vous pourriez hériter d'un petit revenu mensuel.

SEPT DE CARREAU (RÉUSSITE): On vous fera une nouvelle proposition: des parts, des actions ou une commission. Si vous fréquentez l'école, on vous offrira du travail à mi-temps. Le succès vous guette!

MAISON DU NOUVEAU PROJET

LES TRÈFLES

AS DE TRÈFLE (CADEAU): Vous travaillerez dans un commerce qui fabrique ou vend de menus articles; ou vous vous lancerez dans la production de cadeaux et vous vous ferez une excellente réputation parmi vos amis. On vous offrira une nouvelle possibilité d'investir dans une affaire.

ROI DE TRÈFLE (VOCATION et PROFESSION): Vous auriez avantage à participer à un nouveau projet dans votre vie professionnelle; il y a quelque chose de nouveau pour vous; ou une nouvelle ouverture dans le monde des affaires se présentera.

DAME DE TRÈFLE (CONSULTANT): Vous entreprendrez très prochainement un nouveau projet, peut-être savez-vous même déjà ce dont il est question.

VALET DE TRÈFLE (FAMILLE): Grâce à l'initiative d'un parent, vous bénéficierez de certains avantages; avec un membre de votre famille, vous entreprendrez ensemble quelque chose de nouveau.

DIX DE TRÈFLE (VOYAGES et DÉPLACEMENTS): Vous travaillerez dans une entreprise de machines mobiles ou qui effectue des déplacements; ou vous voyagerez pour vos affaires; changements et déplacements sont à prévoir en rapport avec une nouvelle orientation de votre carrière.

NEUF DE TRÈFLE (CHANCE): Une nouvelle voie s'ouvre à vous et la chance vous sourira si vous vous y engagez.

HUIT DE TRÈFLE (RÉUSSITE et SUCCÈS): Si vous commencez quelque chose de nouveau, dans la même ligne que ce que vous faisiez précédemment, vous aurez beaucoup de succès. Un meilleur travail ou de nouvelles affaires sont à prévoir.

SEPT DE TRÈFLE (MESSAGES): Vous obtiendrez les renseignements nécessaires à propos d'une nouvelle entreprise; ou, si vous commencez un nouveau projet, des messages vous apporteront du travail. Vous recevrez des communications téléphoniques ou de la publicité.

LES PIQUES

AS DE PIQUE (MORT): Un décès influencera le cours d'un nouveau projet; ou si vous en commencez un, la chance ne sera pas de votre côté. Prenez toutes les précautions nécessaires si vous envisagez un nouveau travail.

ROI DE PIQUE (VISITEUR): On vous fera une proposition d'affaires, d'investissement ou d'achat quelconque. Méfiez-vous, tout cela pourrait se terminer par un procès.

DAME DE PIQUE (GRATITUDE): Une personne prétendra vous être reconnaissante et vous fera une proposition d'affaires; ou essaiera de séparer le mari de sa femme; ou de briser une amitié. Soyez vigilant.

VALET DE PIQUE (ORIENTATION): Si vous êtes sur le point de vous engager dans un nouveau projet, l'issue en sera incertaine. Ne vous lancez pas dans une nouvelle orientation sans être sûr d'avoir les compétences requises. Si vous êtes dans la publicité, vous aurez de nouvelles commandes.

DIX DE PIQUE (SOLEIL): Faites une enquête minutieuse avant de vous lancer dans une nouvelle entreprise. Il y a quelque chose que vous devriez absolument savoir; ou vous étudierez dans un domaine qui demande beaucoup de recherches.

NEUF DE PIQUE (DÉCEPTIONS et CONFLITS): Vous avez subi une perte en commençant un nouveau projet; ou attendez et faites des recherches approfondies avant de vous lancer dans une nouvelle entreprise, car il y a des risques de pertes.

HUIT DE PIQUE (PROBLÈMES): Un nouveau projet vous occasionne des inquiétudes ou des problèmes. Concentrez-vous et clarifiez la situation. Cela ne vous concerne pas forcément directement, mais pourrait toucher la personne ou l'organisme dont vous dépendez. Ne changez surtout rien pour le moment, attendez!

SEPT DE PIQUE (SANTÉ): Votre santé ou celle d'un proche jouera un rôle important dans une nouvelle entreprise; ou vous regrettez amèrement de ne pas avoir eu le courage de vous lancer dans un projet que l'on vous proposait et qui est aujourd'hui prospère.

MAISON DE LA CONSÉCRATION

LES CŒURS

AS DE CŒUR (FOYER): Dans la maison de la consécration, cette carte indique que l'entraînement que vous avez reçu ou que vous recevez actuellement à la maison vous servira pour ce que vous accomplirez plus tard dans votre vie; ou c'est chez vous que vous ferez le plus de choses; ou votre plus belle réussite sera faite à la maison.

ROI DE CŒUR (JOIE et BIEN-ÊTRE): Vous accomplirez quelque chose qui a trait au domaine public; ou vous réussirez grâce à certaines activités; ou, si vous êtes jeune, luttez pour quelque chose et vous verrez que les résultats ne se feront pas attendre; ou vous aurez le sentiment d'avoir accompli quelque chose d'important.

DAME DE CŒUR (AMITIÉ): Vous aurez le plaisir de partager le succès d'un ami, peut-être la reconnaissance sociale ou les acclamations du public. Ce sera quelque chose d'agréable.

VALET DE CŒUR (CÉLÉBRITÉ et NOTORIÉTÉ): Vous recevrez de la publicité grâce à votre travail. Vous réussirez rapidement dans quelque chose qui vous apportera la célébrité et la richesse.

DIX DE CŒUR (MARIAGE et UNION): Le mariage vous amènera la réussite; vous êtes un bricoleur hors pair et un bon pourvoyeur; ou, dans les affaires, vous développerez avec brio de nouvelles lignes pour la vente.

NEUF DE CŒUR (DÉSIR et SOUHAIT): Si vous souhaitez accomplir quelque chose d'important, vous y parviendrez mais pas aussi vite que vous l'espériez.

HUIT DE CŒUR (LUNE): C'est grâce à un ami que vous parviendrez à atteindre votre plus chère ambition, ou vous réussirez dans une vocation qui demande beaucoup de soins et d'amour.

SEPT DE CŒUR (PLAISIR): Vous atteindrez le bonheur en sachant conjuguer affaires et plaisir.

LES CARREAUX

AS DE CARREAU (NOUVEAU PROJET): Certaines entreprises nouvelles requerront un dur labeur, mais vous y parviendrez. Votre meilleure réussite demeure dans l'accomplissement d'une brillante carrière.

ROI DE CARREAU (DOCUMENTS JURIDIQUES): Si vous pratiquez une profession libérale, vous irez loin; ou votre réussite pourrait être reliée à un aspect de votre travail qui concerne des papiers; ou un ordre de cour ou des documents divers pourraient influencer votre carrière dans le futur.

DAME DE CARREAU (SAISONS): Quoi que vous vouliez faire et quel que soit l'endroit où vous vouliez aller, cela demandera plus de temps pour s'accomplir; vous serez aussi aidé par des personnes plus âgées que vous.

VALET DE CARREAU (LETTRES): Une lettre ou des choses apprises en lisant des imprimés, tels que des livres, des dépliants ou des travaux scolaires, influenceront votre future réussite. Cela pourrait être relié à un vol à bord d'un avion ou à la livraison de quelque chose.

DIX DE CARREAU (ARGENT et RICHESSE): Vos réussites seront nombreuses et vous rapporteront beaucoup d'argent.

NEUF DE CARREAU (SURPRISES): Vous essayerez d'accomplir une chose que vous pensiez impossible, vous la réussirez si bien que vous vous surprendrez vous-même. Ne dites jamais: «Je ne peux pas faire cela.» C'est à bannir de votre vocabulaire.

HUIT DE CARREAU (HÉRITAGE): Une offre intéressante vient sanctionner votre savoir-faire et votre ingéniosité dans l'accomplissement d'une tâche; ou votre respect des souhaits de quelqu'un vous attirera une récompense.

SEPT DE CARREAU (RÉUSSITE et SUCCÈS): L'achèvement d'un travail vous apportera un grand succès. Célébrité et fortune sont dans vos cartes, essayez-donc!

MAISON DE LA CONSÉCRATION

LES TRÈFLES

AS DE TRÈFLE (CADEAU): Vous serez aidé dans vos études par un don en argent; c'est par l'art ou l'artisanat que vous réussirez: la consécration par l'art.

ROI DE TRÈFLE (VOCATION et PROFESSION): Votre réalisation viendra plus tard dans votre vie; ou tout ce que vous aurez accompli viendra d'un travail acharné, mental ou physique.

DAME DE TRÈFLE (CONSULTANT): Vous avez acquis une grande compétence dans votre domaine grâce à vos études. Le perfectionnement se développe avec la pratique; ou votre vie sera bien remplie.

VALET DE TRÈFLE (FAMILLE): Quelqu'un de votre famille aura beaucoup de succès; ou si vous êtes jeune, c'est après avoir quitté votre famille que vous accomplirez le plus de choses.

DIX DE TRÈFLE (VOYAGES et DÉPLACEMENTS): Vous aurez du succès en affaires; aussi vous devriez vous diriger vers la publicité écrite, les échanges, la diffusion ou la publication.

NEUF DE TRÈFLE (CHANCE): Tout à fait par hasard, vous trouverez le temps ou l'argent pour accomplir ce qui vous tient à cœur.

HUIT DE TRÈFLE (CONSÉCRATION): Lorsque cette carte tombe dans sa propre maison, cela signifie que vous êtes fait pour réussir dans le monde des affaires. Beaucoup de travail sur la planche.

SEPT DE TRÈFLE (MESSAGES): Si vous êtes artiste ou si vous exercez une profession libérale, vous devrez vous attendre à recevoir de nombreux appels concernant vos services (beaucoup de clients ou de patients); ou un message qui touche ce que vous faites actuellement. Vous pourriez être un excellent standardiste.

LES PIQUES

AS DE PIQUE (MORT): Vous mettrez bientôt un terme à une activité et cette décision vous aidera à mieux réussir ce que vous cherchez à accomplir. C'est un changement volontaire.

ROI DE PIQUE (VISITEUR): Vous obtiendrez de l'aide pour accomplir ce que vous désirez. Il s'agit d'une aide extérieure. Plus vous avancez plus vous progressez.

DAME DE PIQUE (GRATITUDE): Une personne mal intentionnée cherchera à retarder vos progrès; si vous ne pensez pas avoir réussi votre vie, ne vous découragez pas, car vous atteindrez votre but avant de mourir.

VALET DE PIQUE (ORIENTATION): Vous n'êtes jamais satisfait de ce que vous faites, vous êtes trop perfectionniste et rien n'est parfait pour vous.

DIX DE PIQUE (SOLEIL): C'est l'après-midi que vous travaillez le mieux; ou si votre meilleur moment pour planifier votre travail est la nuit, passez à l'action le jour.

NEUF DE PIQUE (DÉCEPTIONS et CONFLITS): Vous êtes déçu de ce que vous faites en ce moment; ou vous avez du retard dans ce que vous voulez faire. Ce retard occasionne une perte. Essayez de changer ce qui ne va pas.

HUIT DE PIQUE (PROBLÈMES): Votre route est jonchée d'obstacles que vous devrez surmonter avant d'atteindre votre but. Les problèmes sont reliés à la réalisation. Vous gagnerez, essayez!

SEPT DE PIQUE (SANTÉ): Votre santé a des répercussions sur vos activités; ou la santé de quelqu'un vous affectera; ou la santé et la réussite vous attendent.

En observant bien attentivement on peut certainement apercevoir dame Fortune car bien qu'elle soit aveugle, elle n'est pas invisible.

Francis Bacon

MAISON DE L'HÉRITAGE

LES CŒURS

AS DE CŒUR (FOYER): Dans la maison de l'héritage, cette carte indique qu'une personne avec qui vous demeurez va recevoir un héritage; ou vous hériterez d'une propriété. Vous pouvez recevoir un héritage sans qu'il y ait décès d'une personne que vous connaissez.

ROI DE CŒUR (JOIE et BIEN-ÊTRE): Vous recevrez des objets de valeur d'un parent ou d'un ami très proche qui a votre bien-être à cœur; ou un cadeau d'une gentille personne.

DAME DE CŒUR (AMITIÉ): Un ami vous fera cadeau de marchandises, de titres ou de biens personnels; ou vous recevrez un cadeau personnalisé.

VALET DE CŒUR (CÉLÉBRITÉ et NOTORIÉTÉ): Votre popularité vous méritera de précieux cadeaux de la part de vos parents et amis; ou vous recevrez une preuve d'affection le jour de la fête de Saint-Valentin.

DIX DE CŒUR (MARIAGE et UNION): Une alliance ou une association avec un partenaire vous amènera des parts dans une affaire ou un revenu qui assurera votre avenir. Vous serez à l'aise toute votre vie. Bons revenus!

NEUF DE CŒUR (DÉSIR et SOUHAIT): Vos désirs se réalisent grâce à un héritage, ou avec l'aide de quelqu'un.

HUIT DE CŒUR (LUNE): Une personne qui vous aime se souviendra de vous dans son testament; ou vous recevrez une marque d'affection, probablement des fleurs.

SEPT DE CŒUR (PLAISIR): Même si vous faites bien des jaloux, cela ne vous empêchera pas de jouir d'un legs.

Nous devons nous garder de faire des passe-droits
à nos amis si cela implique de faire du tort aux autres,
car rien n'est généreux qui n'est aussi équitable.

Cicéron

LES CARREAUX

AS DE CARREAU (NOUVEAU PROJET): Grâce à un héritage, vous vous lancerez dans une nouvelle entreprise; ou une nouvelle entreprise vous apporte des occasions inattendues et de l'argent.

ROI DE CARREAU (DOCUMENTS JURIDIQUES): De l'argent pourrait provenir d'une personne exerçant une profession libérale; ou vous signerez le testament de quelqu'un ou le vôtre; ou vous aurez besoin d'un avocat pour gérer un héritage à votre place. Cela pourra être réglé hors cour. Les documents signés ou manipulés vous apporteront des revenus.

DAME DE CARREAU (SAISONS): Une personne âgée décédera bientôt et vous en bénéficierez financièrement. Ce décès devrait survenir au cours des trois prochains mois. Un changement avantageux.

VALET DE CARREAU (LETTRES): Vous recevrez une lettre qui concerne un héritage. Cela pourrait être un cadeau d'une tante ou d'un proche. Cette missive contiendra ses dernières volontés; ou une lettre annonçant de l'argent.

DIX DE CARREAU (ARGENT et RICHESSE): On se souviendra de vous dans un testament et vous pourriez recevoir une grosse somme d'argent; ou un meilleur revenu.

NEUF DE CARREAU (SURPRISES): Vous recevez un héritage auquel vous ne vous attendiez absolument pas. Quelle bonne surprise! Une dette remboursée, ou un prêt ou un cadeau.

HUIT DE CARREAU (HÉRITAGE): La présence de cette carte dans cette maison est un signe positif, et vous hériterez de quelque chose très prochainement. Cela pourrait être un cadeau de grande valeur de la part de quelqu'un de vivant, ou, dans un avenir prochain, une personne se souviendra de vous dans son testament.

SEPT DE CARREAU (RÉUSSITE et SUCCÈS): Vous obtiendrez du succès en vous occupant d'un héritage. Succès et revenu améliorés.

MAISON DE L'HÉRITAGE

LES TRÈFLES

AS DE TRÈFLE (CADEAU): Vous hériterez d'un cadeau en marchandises ou des titres ou des affaires personnelles; ou vous aurez une augmentation si vous travaillez.

ROI DE TRÈFLE (VOCATION et PROFESSION): Vous recevrez un cadeau quelconque qui vous aidera à trouver du travail; ou, grâce à un héritage, vous vous lancerez dans les affaires ou vous reprendrez vos études ou encore vous ferez quelque chose que vous avez toujours voulu faire; ou vous serez appelé à administrer un immeuble ou à faire fructifier l'argent des autres.

DAME DE TRÈFLE (CONSULTANT): Vous passerez près d'hériter d'un immeuble; ou vous serez nommé administrateur d'un immeuble.

VALET DE TRÈFLE (FAMILLE): Vous hériterez d'un parent une propriété; ou un ami, ou parent, vous aidera à bâtir un immeuble qui vous appartiendra.

DIX DE TRÈFLE (VOYAGES et DÉPLACEMENTS): Vous pourriez perdre une propriété éloignée mais qui vous appartenait vraiment à cause du manque d'efforts faits pour vous retrouver; ou vous hériterez d'un immeuble éloigné; ou, si vous êtes dans le domaine immobilier, vous vendrez une propriété qui est en dehors de la ville où vous travaillez.

NEUF DE TRÈFLE (CHANCE): Vous aurez une période de chance où vous gagnerez de l'argent, vous hériterez d'un immeuble de façon inattendue; ou vous recevrez un cadeau

HUIT DE TRÈFLE (CONSÉCRATION): En récompense à une réalisation que vous avez effectuée, vous serez apprécié et on vous confiera des biens, comme une entreprise ou des parts dans une affaire; ou, si vous êtes un employé, vous recevrez une prime.

SEPT DE TRÈFLE (MESSAGES): Vous recevrez un message vous signalant que vous hériterez d'une somme d'argent, d'un prix ou encore d'autre chose dans le même genre; ou on vous annoncera que quelqu'un d'autre hérite; ou vous recevrez une communication téléphonique au sujet de la possibilité d'un futur investissement.

LES PIQUES

AS DE PIQUE (MORT): Vous pourriez hériter d'une fortune à la suite d'un décès; ou vous serez amené à partager une propriété avec une personne qui y habite.

ROI DE PIQUE (VISITEUR): Vous recevrez un appel concernant un héritage; ou vous pourriez être nommé administrateur d'un immeuble; ou une action en justice serait reliée à cette propriété ou à cet héritage; ou un emprunt vous est remboursé.

DAME DE PIQUE (GRATITUDE): Une personne reconnaissante vous laissera quelque chose dans ses dernières volontés; ou vous pourriez aussi renoncer à un héritage plutôt que d'avoir à le défendre en justice.

VALET DE PIQUE (ORIENTATION): Quelqu'un pense à vous et vous envie pour l'héritage que vous avez reçu ou parce que vos vœux se sont réalisés. Une personne envieuse est impliquée dans l'héritage que vous venez d'avoir; ou on vous jalousera à cause de votre prospérité.

DIX DE PIQUE (SOLEIL): Pour votre comportement serviable et vos dispositions bienveillantes, quelqu'un se souviendra de vous dans son testament. Rappelez-vous que l'argent arrive quelquefois de bien étrange façon.

NEUF DE PIQUE (DÉCEPTIONS et CONFLITS): Vous perdrez un héritage ou quelque chose qui vous revenait de droit; vous vous sentirez lésé ou déçu d'un legs; ou vous subirez un retard dans le remboursement d'un emprunt, le paiement d'un loyer ou la collecte d'une redevance.

HUIT DE PIQUE (PROBLÈMES): Les problèmes surviennent lors d'un héritage; ainsi que de mauvaises impressions, de l'inquiétude et des larmes, peut-être savez-vous déjà de quoi il est question.

SEPT DE PIQUE (SANTÉ): Vous devriez avoir reçu une bonne santé en héritage; ou un deuil, suivi d'un héritage, vous attriste et vous désole.

L'argent est toujours le bienvenu même s'il arrive enveloppé dans un chiffon sale, mais il est beaucoup plus acceptable quand on le trouve dans un mouchoir propre.

James Howell

MAISON DES VISITEURS

LES CŒURS

AS DE CŒUR (FOYER): Dans la maison des visiteurs, cette carte indique que quelqu'un vous surprendra chez vous en vous annonçant qu'il vient de déménager ou qu'il s'est acheté une nouvelle maison; ou une personne vous appellera pour vous montrer sa propriété.

ROI DE CŒUR (JOIE et BIEN-ÊTRE): Vous aurez le grand plaisir de revoir une personne que vous aimez beaucoup.

DAME DE CŒUR (AMITIÉ): Des amis que vous n'avez pas vus depuis longtemps viendront vous voir; ou vous rencontrerez une vieille connaissance par hasard dans la rue.

VALET DE CŒUR (CÉLÉBRITÉ et NOTORIÉTÉ): Une personne très distinguée vous rend visite.

DIX DE CŒUR (MARIAGE et UNION): Des nouveaux mariés viendront vous rendre visite; ou un visiteur viendra vous entretenir d'un mariage auquel il doit assister.

NEUF DE CŒUR (DÉSIR et SOUHAIT): Votre souhait concerne une éventuelle visite ou des visiteurs.

HUIT DE CŒUR (LUNE): Quelqu'un que vous appréciez beaucoup et qui pense beaucoup à vous viendra vous rendre visite, une visite agréable.

SEPT DE CŒUR (PLAISIR): Une personne viendra vous voir très prochainement et vous apportera beaucoup de bonheur.

La neige est épaisse,
Dans ma maison à l'abri de la tempête
J'entends des voix
Et des pas assourdis qui s'agitent
Mais je ne sortirai pas de mon doux confort
Pour m'aventurer à l'extérieur
Tant que tous ces pas ne m'auront préparé
Un beau petit chemin.

Agnes Lee

LES CARREAUX

AS DE CARREAU (NOUVEAU PROJET): Une personne vous appellera pour vous entretenir de quelque chose qu'elle a accompli; ou quelqu'un vous rendra visite pour vous aider à achever quelque chose; ou un professeur vous appellera pour vous instruire. Des études sont annoncées.

ROI DE CARREAU (DOCUMENTS JURIDIQUES): Un avocat pourrait venir vous voir au sujet d'une vente ou pour la signature d'un document. Il y aurait peut-être une action en justice à prévoir ici. Un document et un visiteur sont à prévoir, de même qu'un appel à un médecin pour s'enquérir de la santé d'un membre de la famille.

DAME DE CARREAU (SAISONS): Des personnes âgées vous rendront visite, peut-être vos grands parents qui seront là pour un séjour de quelques mois; qui que ce soit, ils vont vouloir que vous passiez quelque temps avec eux, aussi préparez-vous; ou le temps est venu pour un rendez-vous.

VALET DE CARREAU (LETTRES): On vous apportera une lettre ou un document qui vous concernera; ou vous recevrez un appel au sujet d'une lettre que vous avez expédiée.

DIX DE CARREAU (ARGENT et RICHESSE): Vous aurez un appel pendant lequel il sera question d'un investissement. Soyez attentif, car vous pourriez en retirer un certain gain; ou quelqu'un pourrait venir vous voir pour vous parler d'un investissement qui lui a rapporté un bon montant d'argent; ou de riches connaissances vous honoreront d'une visite sociale.

NEUF DE CARREAU (SURPRISES): On vous rendra une visite qui vous surprendra; une bonne surprise, soyez prêt.

HUIT DE CARREAU (HÉRITAGE): Une personne vous appellera bientôt au sujet de son héritage, ou au sujet du vôtre; faites attention aussi aux visiteurs qui arrivent juste à l'heure des repas, les emprunteurs et les pique-assiette.

SEPT DE CARREAU (RÉUSSITE et SUCCÈS): Une personne vous appellera pour vous parler de son succès. Méfiez-vous des indigents qui deviennent des emprunteurs; ou on vous félicitera du merveilleux succès que vous avez eu.

MAISON DES VISITEURS

LES TRÈFLES

AS DE TRÈFLE (CADEAU): Vous recevrez un cadeau d'un visiteur; ou vous offrirez un présent à une personne qui est venue vous voir; ou un représentant vous appellera pour vous vendre de l'équipement ménager.

ROI DE TRÈFLE (VOCATION et PROFESSION): Si vous êtes sans emploi, vous pourriez trouver un travail où vous auriez à faire de nombreux appels téléphoniques; travail et appels téléphoniques sont votre lot; ou vous aurez un appel pour vous demander d'aller travailler.

DAME DE TRÈFLE (CONSULTANT): Vous pouvez vous attendre à recevoir des visiteurs dans un avenir rapproché; préparez-vous, car ils s'attendront à ce que vous vous occupiez d'eux.

VALET DE TRÈFLE (FAMILLE): Des membres de votre famille s'apprêtent à venir vous voir.

DIX DE TRÈFLE (VOYAGES et DÉPLACEMENTS): Vous participerez à un voyage de groupe organisé, voyage que vous remettiez depuis longtemps; ou un lointain voyageur vous rendra visite.

NEUF DE TRÈFLE (CHANCE): La visite d'une personne ou votre visite chez quelqu'un vous portera chance. Vous découvrirez quelque chose de très profitable.

HUIT DE TRÈFLE (CONSÉCRATION): Vous recevrez un appel au sujet d'une affaire: une ligne dans laquelle on voudrait vous voir investir ou des marchandises que vous pourriez acquérir. Un appel d'affaires.

SEPT DE TRÈFLE (MESSAGES): Vous pouvez vous attendre à ce que des visiteurs vous soient reconnaissants; ou l'on s'informera de votre santé; vous recevrez une grande quantité de lettres et d'appels téléphoniques; ou une personne vous appellera pour vous annoncer sa venue.

Il faut rendre service à un ami pour se l'attacher encore de plus près et à un ennemi pour s'en faire un ami.

Cléobulus

LES PIQUES

AS DE PIQUE (MORT): Des visiteurs viendront vous parler de leur maladie; ou vous devrez aller consulter un médecin, ou c'est lui qui vous appellera; ou vous entendrez parler d'un décès lors d'un appel téléphonique.

ROI DE PIQUE (VISITEUR): Vous recevrez beaucoup de visiteurs prochainement. Recevoir vos amis et vous occuper d'eux prendra apparemment beaucoup de votre temps; ou vous verrez des gens que vous attendiez avec impatience.

DAME DE PIQUE (GRATITUDE): Une personne ingrate que vous avez aidée vous rendra visite et essaiera de vous en mettre plein la vue. Un visiteur très désagréable. Restez aimable et mettez-le dehors.

VALET DE PIQUE (ORIENTATION): Des amis vous appelleront pour vous parler de la planification d'un voyage. Méfiez-vous des nouvelles relations en qui vous ne pouvez pas avoir entièrement confiance; ou vous recevrez un télégramme.

DIX DE PIQUE (SOLEIL): Des amis vous appelleront si le temps est beau; ou, justement parce qu'il fait beau, ils vous téléphoneront à l'improviste.

NEUF DE PIQUE (DÉCEPTIONS et CONFLITS): Vous serez déçu par des gens que vous recevrez. Vous vous apercevrez aussi que l'on vous a dérobé ou que vous ne retrouvez plus quelque chose après le départ de quelqu'un. Faites attention, des visiteurs vous occasionnent une perte; ou des gens que vous attendiez annulent leur rendez-vous.

HUIT DE PIQUE (PROBLÈMES): Des appels vous causent bien des ennuis, comme un locataire qui téléphone pour dire qu'il ne peut pas payer son loyer ou qu'il déménage; ou problèmes et «prise de bec» avec un visiteur.

SEPT DE PIQUE (SANTÉ): Des gens vous rendront visite et vous raconteront qu'ils ont été malades ou qu'ils le sont encore et vous demanderont de leur recommander un bon médecin; ou quelqu'un vous appellera pour vous dire qu'il a recouvré la santé.

MAISON DE LA GRATITUDE

LES CŒURS

AS DE CŒUR (FOYER): Dans la maison de la gratitude, cette carte indique que quelqu'un avec qui vous résidez vous témoignera toute sa reconnaissance pour ce que vous faites pour lui. Quelqu'un de votre famille vous témoignera de la gratitude.

ROI DE CŒUR (JOIE et BIEN-ÊTRE): Une personne qui vous aime beaucoup sait apprécier ce que vous faites pour elle et vous rendra ultérieurement au centuple votre générosité.

DAME DE CŒUR (AMITIÉ): Vos amis vous sont ou vous seront reconnaissants des services que vous leur rendez ou que vous leur rendrez; ou vous serez reconnaissant à un ami d'avoir fait beaucoup pour vous.

VALET DE CŒUR (CÉLÉBRITÉ et NOTORIÉTÉ): Vous gagnerez de la popularité auprès de vos amis, car ils vous sont reconnaissants.

DIX DE CŒUR (MARIAGE et UNION): Des jeunes mariés vous remercieront de ce que vous avez fait pour eux; ou on vous saura gré d'avoir planifié à nouveau la rencontre de vieux amis.

NEUF DE CŒUR (DÉSIR et SOUHAIT): Vous souhaitez être apprécié pour vos mérites; ou vous espérez que l'on reconnaisse les services rendus par une autre personne; ou vous serez reconnaissant si votre vœu se réalise.

HUIT DE CŒUR (LUNE): Quelqu'un vous remerciera pour ce que vous avez fait et se rendra compte qu'il a beaucoup d'attachement pour vous et votre gentillesse.

SEPT DE CŒUR (PLAISIR): Vous allez faire le bonheur de quelqu'un et cette personne vous en sera éternellement reconnaissante; ou votre comportement plein de gratitude, pour les petites choses que l'on fait pour vous, vous remplira de bonheur.

LES CARREAUX

AS DE CARREAU (NOUVEAU PROJET): Une personne proche de vous sera reconnaissante pour l'aide que vous lui apporterez dans une nouvelle entreprise; ou vous avez un ami reconnaissant.

ROI DE CARREAU (DOCUMENTS JURIDIQUES): Quelqu'un vous viendra en aide pour remplir des papiers et vous lui en serez reconnaissant; ou vous aiderez une personne à rédiger un document.

DAME DE CARREAU (SAISONS): Reconnaissante de ce que vous avez fait pour elle dans le passé, une personne vous rendra plus tard la pareille; ce n'est qu'une question de temps.

VALET DE CARREAU (LETTRES): Vous enverrez une lettre de condoléances ou de remerciements; ou vous en recevrez une.

DIX DE CARREAU (ARGENT et RICHESSE): Vous aiderez quelqu'un sur le plan financier, mais pas forcément en lui donnant de l'argent, et il vous en remerciera; ou vous aurez de la reconnaissance pour quelqu'un qui vous amènera des gains intéressants.

NEUF DE CARREAU (SURPRISES): Vous serez surpris que l'on vous manifeste de la reconnaissance pour un service passé; cela vous arrivera au moment où vous vous y attendrez le moins et où vous en aurez le plus besoin.

HUIT DE CARREAU (HÉRITAGE): Un ami qui vous est redevable pour un service rendu dans le passé et que vous aviez totalement oublié vous offrira un travail dans le domaine des affaires; vous pourriez aussi recevoir un héritage d'un ami reconnaissant ou d'un parent.

SEPT DE CARREAU (RÉUSSITE et SUCCÈS): Votre future réussite vous rendra reconnaissant; ou quelqu'un vous remerciera de l'avoir aidé à se trouver un travail ou d'avoir contribué à sa réussite.

Bien que je ne dédaignerai pas posséder seulement une once de chacune des vertus,
il n'y a pas de qualité que je préférerais avoir plus que la gratitude.
Elle n'est pas seulement la plus grande des vertus
mais aussi la mère de toutes les autres.

Cicéron

MAISON DE LA GRATITUDE

LES TRÈFLES

AS DE TRÈFLE (CADEAU): Vous serez reconnaissant pour un cadeau reçu que vous désiriez ardemment; ou on vous remerciera pour l'aide que vous avez apportée à une personne méritante.

ROI DE TRÈFLE (VOCATION et PROFESSION): Vous aiderez quelqu'un pour un travail, scolaire ou autre; ou vous mériterez la reconnaissance d'un ami qui œuvre dans le monde des affaires ou dans le domaine où vous travaillez.

DAME DE TRÈFLE (CONSULTANT): Quelqu'un vous sera reconnaissant pour une faveur que vous lui avez accordée; ou vous manifesterez votre reconnaissance à une personne qui vous a fait, ou vous fera, une grande faveur.

VALET DE TRÈFLE (FAMILLE): Votre famille vous est reconnaissante et vous avez des amis très chers.

DIX DE TRÈFLE (VOYAGES et DÉPLACEMENTS): Des amis en voyage vous seront reconnaissants de votre aide pour leur hébergement et leur adaptation; ou vous manifesterez de la reconnaissance pour un voyage ou un changement dans votre situation.

NEUF DE TRÈFLE (CHANCE): C'est en manifestant votre reconnaissance que la chance vous sourira. Montrez-vous continuellement reconnaissant et loyal.

HUIT DE TRÈFLE (CONSÉCRATION): Des amis du monde des affaires se montreront reconnaissants et vous rendront la pareille ultérieurement; ou on vous rendra service pour vous remercier de votre reconnaissance.

SEPT DE TRÈFLE (MESSAGES): Un message de remerciements vous parviendra; ou vous recevrez un mot qui vous touchera beaucoup.

LES PIQUES

AS DE PIQUE (MORT): On vous remerciera pour votre aide dans un moment de détresse, lors d'un décès ou de funérailles; ou vous serez reconnaissant à vos amis de vous avoir aidé.

ROI DE PIQUE (VISITEUR): Certaines personnes ingrates vous rendront visite. Si vous connaissez leurs travers, traitez-les avec froideur; ce sera pour votre bien.

DAME DE PIQUE (GRATITUDE): Une personne que vous pensiez être totalement indifférente vous prouvera qu'elle peut être une véritable amie, et vous serez agréablement surpris par ce qu'elle fera pour vous.

VALET DE PIQUE (ORIENTATION): Vous avez eu tort de faire confiance à une personne qui ne le méritait pas du tout; ou un collecteur se manifestera et vous réclamera avec grossièreté le paiement d'une facture injustifiée.

DIX DE PIQUE (SOLEIL): Vous découvrirez une injustice commise à votre égard et vous réussirez à échapper au danger; ou on vous demandera un service que vous ne pourrez pas rendre.

NEUF DE PIQUE (DÉCEPTIONS et CONFLITS): Votre gentillesse ne sera pas récompensée et vous essuierez un refus. Choisissez vos amis avec soin, car on ne peut choisir sa famille; ou un emprunt ne vous sera pas rendu.

HUIT DE PIQUE (PROBLÈMES): Malgré toute la gentillesse que vous manifestez, on vous traitera avec ingratitude. Un soi-disant ami disparaît sans avertissement.

SEPT DE PIQUE (SANTÉ): La jalousie d'un ennemi, la calomnie, un comportement déloyal ou les agissements sournois de membres de votre famille ou de prétendus amis vous briseront le cœur.

La gratitude est la dernière touche qui, ajoutée au visage, donne une beauté classique et une contenance angélique au personnage.

Theodore Parker

MAISON DU CONSULTANT

LES CŒURS

AS DE CŒUR (FOYER): Dans la maison du consultant, cette carte indique un intérieur agréable ou que vous bâtirez une maison selon vos désirs; ou que votre vie familiale a une grande influence sur vous.

ROI DE CŒUR (JOIE et BIEN-ÊTRE): Vous rencontrerez une personne qui aura une influence bénéfique sur votre vie de tous les jours. Carte positive lorsqu'elle tombe dans cette maison.

DAME DE CŒUR (AMITIÉ): Un ami aura une très bonne influence sur vous et sera toujours prêt à vous aider.

VALET DE CŒUR (CÉLÉBRITÉ et NOTORIÉTÉ): Vous réussirez à vous faire connaître; ou vous aurez beaucoup de publicité. L'avenir vous sourit.

DIX DE CŒUR (MARIAGE et UNION): Si vous êtes célibataire, vous vous marierez bientôt. Si vous êtes déjà marié mais séparé, vous retrouverez avec joie votre conjoint; ou des retrouvailles avec un ami éloigné; ou un heureux mariage.

NEUF DE CŒUR (DÉSIR et SOUHAIT): Votre souhait concerne votre vie personnelle et devrait se réaliser prochainement. Vous aurez peut-être auparavant à surmonter quelques obstacles.

HUIT DE CŒUR (LUNE): Votre futur devrait être rempli d'amour même si par le passé il baignait dans la tristesse.

SEPT DE CŒUR (PLAISIR): Votre avenir devrait être plein d'heureuses promesses, grâce à un talent que vous possédez ou à une réalisation personnelle. Le bonheur vous attend.

Lorsque la richesse est perdue, rien n'est perdu.
Lorsque la santé est perdue, quelque chose est perdu;
Lorsque la réputation est perdue, tout est perdu.

Inconnu
(graffiti sur le mur d'une école en Allemagne)

LES CARREAUX

AS DE CARREAU (NOUVEAU DÉFI): Vous vous lancerez dans une nouvelle entreprise ou elle vous sera offerte sur un plateau d'argent. Changement de situation dans votre futur immédiat. Ce sera une amélioration.

ROI DE CARREAU (DOCUMENTS JURIDIQUES): Vous avez des papiers à signer; ou vous faites face à une action juridique; ou un homme exerçant une profession libérale joue un rôle important dans votre vie. Si vous êtes jeune et que vous cherchiez ce que vous devriez étudier, une profession libérale vous conviendrait. Choisissez celle que vous aimeriez le plus exercer.

DAME DE CARREAU (SAISONS): Le temps perturbe vos affaires personnelles; vous attendez que quelque chose se passe ou se développe. Des personnes âgées jouent aussi un rôle important dans votre vie. Les choses changeront pour vous avant la fin de la présente saison. Ce sera un grand changement.

VALET DE CARREAU (LETTRES): Vous recevrez une lettre ou des nouvelles; peut-être quelque chose de connexe à votre travail. Répondez promptement à votre courrier.

DIX DE CARREAU (ARGENT et RICHESSE): Une somme d'argent assez substantielle vous arrivera bientôt. Argent et investissement seront présents.

NEUF DE CARREAU (SURPRISES): Vous aurez l'une des plus grosses surprises de votre vie très prochainement.

HUIT DE CARREAU (HÉRITAGE): Vous recevrez bientôt un héritage; ou un cadeau (si personne ne veut mourir pour vous l'offrir); ou une petite somme d'argent.

SEPT DE CARREAU (RÉUSSITE et SUCCÈS): Votre succès prend une direction financière. Rappelez-vous qu'il ne s'agit pas d'un succès dans tous les domaines, mais d'un succès strictement monétaire.

MAISON DU CONSULTANT

LES TRÈFLES

AS DE TRÈFLE (CADEAU): Vous avez reçu récemment, ou vous recevrez très prochainement, un magnifique cadeau.

ROI DE TRÈFLE (VOCATION et PROFESSION): Si vous êtes dans les affaires, vous aurez beaucoup de travail; si vous travaillez, vous avez un très bon poste; les signes de prospérité sont évidents.

DAME DE TRÈFLE (CONSULTANT): Vous ne serez jamais dans le besoin; vous serez protégé par votre famille ou vos amis intimes; vous êtes cependant capable de vous débrouiller tout seul. Vous aurez une vieillesse heureuse.

VALET DE TRÈFLE (FAMILLE): Un membre de votre famille viendra vivre avec vous; ou, si vous en avez, vos enfants aiment être avec vous et ne vous abandonneront jamais.

DIX DE TRÈFLE (VOYAGES et DÉPLACEMENTS): Vous faites face à un déplacement ou à un changement dans vos conditions de vie; vous changerez pour le mieux.

NEUF DE TRÈFLE (CHANCE): Vous entrez dans un cycle de chance pour tout ce qui a trait à vos affaires personnelles. Sachez utiliser cette chance.

HUIT DE TRÈFLE (CONSÉCRATION): Si vous travaillez, vous pouvez vous attendre à faire de bonnes affaires; ou quelque chose améliorera votre source de revenus; ou vous obtiendrez de meilleures conditions financières. Si vous êtes une couturière ou un «designer», vous aurez une clientèle choisie.

SEPT DE TRÈFLE (MESSAGES): Si vous attendez avec impatience une lettre ou un message, soyez persuadé que vous allez le recevoir; un important message.

> Chacun de nous est un acte de Dieu
> Notre esprit, une pensée divine,
> Notre vie, un souffle divin.
> Par nos idées et notre conduite
> Laissons transparaître nos origines.
>
> P. Bailey

LES PIQUES

AS DE PIQUE (MORT): Vous avez perdu un être que vous chérissiez; ou une situation familiale vous tracasse; concentrez-vous et éclaircissez cette situation.

ROI DE PIQUE (VISITEUR): Vous aurez la visite d'un véritable raseur ou d'une personne que vous n'avez pas envie de voir. Cette carte indique une visite que vous aimeriez éviter, mais qui aura lieu.

DAME DE PIQUE (GRATITUDE): Une personne (une femme) se prétend votre amie. Surveillez-la.

VALET DE PIQUE (ORIENTATION): Quelqu'un essaiera de gagner votre confiance en vous flattant; prenez garde à une nouvelle connaissance, car ses intentions ne sont pas pures; ou paroles bienveillantes dans l'air.

DIX DE PIQUE (SOLEIL): Vous effectuerez une transaction immobilière. La vente de quelque chose est indiquée. Le soleil brillera pour vous. Si vous vendez bientôt, vous ferez une bonne affaire.

NEUF DE PIQUE (DÉCEPTIONS et CONFLITS): Vous êtes sur le point ou vous venez juste d'avoir une grande déception ou une grosse perte. Quelquefois, une grosse perte précède un gain plus important. Le destin fait drôlement les choses. Attendez-vous à un délai.

HUIT DE PIQUE (PROBLÈMES): Vous avez eu des ennuis ou vous en aurez bientôt; ou vous vous faites du mauvais sang à cause d'ennuis. Concentrez-vous et ne vous en faites pas trop. Empoignez fermement vos problèmes comme vous le feriez d'une poignée d'orties de façon qu'elles ne puissent vous piquer.

SEPT DE PIQUE (SANTÉ): Si vous êtes malade, vous pouvez vaincre la maladie en choisissant vos pensées; ne laissez entrer dans votre esprit que des pensées de bien-être et d'harmonie; la maladie n'est pas nécessaire. Avec une bonne santé, vous serez favorisé.

MAISON DE LA CHANCE

LES CŒURS

AS DE CŒUR (FOYER): Dans la maison de la chance, cette carte indique que l'endroit où vous résidez en ce moment vous porte chance; ou votre situation familiale a quelque chose à voir avec la chance; ou la chance est avec vous dans le choix d'une nouvelle demeure.

ROI DE CŒUR (JOIE et BIEN-ÊTRE): Vous avez la chance d'avoir près de vous un ami sincère.

DAME DE CŒUR (AMITIÉ): Vous savez vous entourer d'amis qui vous portent chance. Les vibrations de certaines personnes peuvent apporter la chance.

VALET DE CŒUR (CÉLÉBRITÉ et NOTORIÉTÉ): Vous avez la chance d'avoir de bonnes intuitions. Cultivez-les. Si vous êtes un «designer», vous travaillerez pour le cinéma ou pour des gens célèbres.

DIX DE CŒUR (MARIAGE et UNION): La chance vous attend pour vos noces, et si vous êtes déjà marié, pour le mariage de quelqu'un d'autre; indique aussi de la chance dans l'union des affaires et du plaisir.

NEUF DE CŒUR (DÉSIR et SOUHAIT): La chance veille sur vous, car vous obtiendrez ce que vous avez demandé, et cela très prochainement.

HUIT DE CŒUR (LUNE): Vous aurez beaucoup de chance en amour.

SEPT DE CŒUR (PLAISIR): Chance et plaisir deviendront votre but.

Dame Fortune est la plus satanée reine qui soit.
féline, retorse, exaspérante, indomptable,
Faites-lui des révérences: elle vous ignore;
Affrontez-la: elle fuit;
Traitez-la comme la dernière des chipies
Et la garce viendra frotter son museau
sur votre manche.

Rudyard Kipling

LES CARREAUX

AS DE CARREAU (NOUVEAU PROJET): Si vous envisagez de vous lancer dans une nouvelle entreprise, la chance vous sourira; la chance joue un grand rôle dans ce que l'avenir vous réserve.

ROI DE CARREAU (DOCUMENTS JURIDIQUES): Par chance, vous retrouverez un papier important que vous aviez égaré ou trop bien rangé; ou, par hasard, vous garderez un papier jugé d'abord inutile et dont vous aurez grand besoin plus tard; ou la chance interviendra dans des documents juridiques ou une action en justice.

DAME DE CARREAU (SAISONS): Vous êtes dans une période où la chance vous sourit, sachez en profiter, car la chance se fane avec le temps.

VALET DE CARREAU (LETTRES): Vous aurez de la chance en conservant une certaine lettre que vous aviez l'intention de jeter; ou vous recevrez par la poste une excellente nouvelle: vous avez gagné un prix ou une somme d'argent.

DIX DE CARREAU (ARGENT et RICHESSE): Les dix prochains jours pourraient vous apporter de la chance dans ce que vous entreprendrez avec l'argent (loterie, jeu, investissement, bourse, etc.).

NEUF DE CARREAU (SURPRISES): Vous serez surpris de la bonne fortune que vous aurez dans un futur très rapproché.

HUIT DE CARREAU (HÉRITAGE): La chance vous permet de gagner ou de recevoir en héritage une certaine somme d'argent; ou une vieille dette vous est remboursée; ou vous recevrez un cadeau en argent. Indique un revenu stable.

SEPT DE CARREAU (RÉUSSITE et SUCCÈS): Par un coup de chance inattendu, le succès vient à vous, dans un domaine étroitement relié à la terre et aux ressources naturelles.

MAISON DE LA CHANCE

LES TRÈFLES

AS DE TRÈFLE (CADEAU): Chance au jeu ou chance de recevoir des cadeaux. On vous fera une nouvelle proposition intéressante.

ROI DE TRÈFLE (VOCATION et PROFESSION): La chance est là: dans ce que vous faites actuellement ou pour l'obtention d'un nouveau poste.

DAME DE TRÈFLE (CONSULTANT): La chance vous sourira pendant quelque temps. La chance est avec vous.

VALET DE TRÈFLE (FAMILLE): Avec un membre de votre famille ou un ami intime vous ferez un investissement intéressant grâce à un billet chanceux; gains financiers.

DIX DE TRÈFLE (VOYAGES et DÉPLACEMENTS): Vous aurez de la chance grâce à un changement de résidence, d'emploi, ou par un voyage; un changement qui améliore votre situation.

NEUF DE TRÈFLE (CHANCE): Les choses devraient être faciles pour quelque temps encore puisque vous êtes dans une période positive, un présage de chance lorsque cette carte tombe sur cette maison.

HUIT DE TRÈFLE (CONSÉCRATION): Vos relations professionnelles vous aideront à prendre des initiatives très rémunératrices; la chance vous sourit.

SEPT DE TRÈFLE (MESSAGES): Vous recevrez un message ou un appel qui vous mettra dans une situation avantageuse; soyez-y attentif et profitez-en.

Celui qui ne laisse rien à la chance
fera très peu d'erreurs,
mais il fera aussi très peu de choses.
Lord Halifax

LES PIQUES

AS DE PIQUE (MORT): Une mort viendra changer votre vie de façon positive et améliorera votre situation financière (héritage ou autres); ou on vous proposera un poste laissé vacant par un décès.

ROI DE PIQUE (VISITEUR): Un visiteur vous permettra de côtoyer la chance, soit en vous conseillant un investissement intéressant, soit en vous annonçant que vous venez de gagner quelque chose; ou vous trouverez quelque chose qui vous avantagera.

DAME DE PIQUE (GRATITUDE): Pour toute la chance que vous avez, vous serez très reconnaissant de l'aide qu'une personne a pu vous offrir, ou vous allez trouver quelque chose qui appartient à quelqu'un d'autre et il vous sera reconnaissant de le lui avoir remis.

VALET DE PIQUE (ORIENTATION): Quelqu'un dans votre entourage envie votre chance. Mais rappelez-vous que la chance semble favoriser seulement les personnes qui la méritent. Répétez-vous chaque jour: «Je suis une personne qui a de la chance!» Cela attirera les vibrations positives.

DIX DE PIQUE (SOLEIL): Vous aurez un coup de chance en fin d'après-midi. Soyez vigilant, c'est quelque chose à laquelle vous ne vous attendiez pas.

NEUF DE PIQUE (DÉCEPTIONS et CONFLITS): Vous n'aurez pas de chance aux jeux de hasard, dans des paris ou tout autre situation où vous espériez bien gagner; ou un retard tournera finalement en votre faveur.

HUIT DE PIQUE (PROBLÈMES): Votre négligence vous attirera des ennuis. Faites attention à votre portefeuille et à vos clés («Aide-toi et le ciel t'aidera», dit le proverbe); ou vous oubliez votre monnaie lors d'un achat.

SEPT DE PIQUE (SANTÉ): Occupez-vous de votre santé; si vous êtes malade, vous retrouverez la santé bientôt; ou vous continuerez à être en bonne santé. Cette carte en est une de bonne chance et de bonne santé.

MAISON DU SOLEIL

LES CŒURS

AS DE CŒUR (FOYER): Dans la maison du soleil, cette carte indique que vous devez vous occuper de votre jardin si vous en avez un ou changer les rideaux de vos fenêtres; ou quelque chose pour l'intérieur ou l'extérieur de votre maison. Peut-être devriez-vous donner une réception en plein air.

ROI DE CŒUR (JOIE et BIEN-ÊTRE): Vous devriez passer beaucoup plus de temps en plein air. Marchez, faites du jardinage si vous le pouvez, procurez-vous un maillot de bain et portez-le cet été. Vous serez agréablement surpris des bénéfices que vous en retirerez.

DAME DE CŒUR (AMITIÉ): Le soleil devrait briller dans votre vie et, qui plus est, vous trouverez l'oiseau rare dans votre propre jardin. Souriez et prenez la vie du bon côté, c'est gratifiant.

VALET DE CŒUR (CÉLÉBRITÉ et NOTORIÉTÉ): Pour les professionnels, la maison du soleil représente les feux de la rampe, une brillante carrière; vous pourriez percer bientôt.

DIX DE CŒUR (MARIAGE et UNION): Pour les personnes mariées, au fil des ans, votre vie devrait être remplie de soleil et de joie. Rappelez-vous cependant qu'un peu de pluie est nécessaire. Si vous êtes célibataire sur le point de vous marier, ce devrait être une union heureuse.

NEUF DE CŒUR (DÉSIR et SOUHAIT): Attendez-vous à recevoir des nouvelles de votre souhait, probablement vers la fin de la journée.

HUIT DE CŒUR (LUNE): C'est la maison des amoureux. Soyez franc et gentil. Si vous êtes marié, soyez coopératif avec votre conjoint. Si vous êtes célibataire, on vous admire beaucoup. Soyez sincère.

SEPT DE CŒUR (PLAISIR): Vous serez très heureux l'été prochain. Vous aurez des vacances et une vie de famille formidables.

LES CARREAUX

AS DE CARREAU (NOUVEAU PROJET): Le soleil devrait favoriser ceux qui vivent de la terre, car cette maison privilégie les nouvelles plantations. Bonnes récoltes pour tout ce qui pousse. Quant aux autres, vous ne manquerez pas de nourriture.

ROI DE CARREAU (DOCUMENTS JURIDIQUES): Cette maison concerne les professions libérales: médecins, avocats, etc. Si vous êtes juge, vous serez appelé à prendre une décision dans une cause difficile; ou le soleil brillera dans votre vie parce que justice vous sera rendue.

DAME DE CARREAU (SAISONS): Le soleil devrait briller avec éclat pour vous durant les trois prochains mois.

VALET DE CARREAU (LETTRES): Bonheur grâce à des nouvelles fraîches (lettres, télégrammes, etc.).

DIX DE CARREAU (ARGENT et RICHESSE): Vous achèterez un objet précieux, bijou ou autres, ou on vous en fera cadeau; ou ce sera peut-être de l'argent provenant du travail sous terre (mines ou pétrole).

NEUF DE CARREAU (SURPRISES): Vous aurez une bonne surprise ce soir.

HUIT DE CARREAU (HÉRITAGE): Le soleil brillera pour vous grâce à un plus gros revenu ou un héritage. Concentrez-vous et sachez que de meilleures conditions vous attendent.

SEPT DE CARREAU (RÉUSSITE et SUCCÈS): Succès et soleil dans votre vie. C'est assez, n'est-ce pas?

Le printemps se joint à nous une fois encore
Avec ses boutons éclos et ses fleurs
Nous n'aimerions pas vous perdre comme ami
Le temps mesure les heures agréables.
Margarete Ward

MAISON DU SOLEIL

LES TRÈFLES

AS DE TRÈFLE (CADEAU): On vous donnera quelque chose qui va vous rendre heureux: un animal domestique, un oiseau, un chien, un cheval, etc., (quelque chose de vivant).

ROI DE TRÈFLE (VOCATION et PROFESSION): Si vous avez un travail sédentaire, passez le plus de temps possible à l'extérieur. Vous avez besoin de soleil et de grand air; ou une bonne hygiène de vie aura des effets positifs.

DAME DE TRÈFLE (CONSULTANT): Vous entrerez dans une période plus sereine de votre vie. Après la pluie le beau temps; pourtant la pluie nous est aussi essentielle que le soleil pour atteindre l'équilibre!

VALET DE TRÈFLE (FAMILLE): Votre famille et vos intimes vous apportent un merveilleux réconfort; allez les voir et recevez-les. Si quelques-uns ont des défauts, n'y faites pas attention. Personne n'est parfait. Ne soyez pas mesquin, ouvrez-leur votre cœur.

DIX DE TRÈFLE (VOYAGES et DÉPLACEMENTS): Si vous passez des vacances près de l'eau, méfiez-vous des coups de soleil. Vous aurez beaucoup de plaisir à participer à des activités de plein air: voyages de chasse, randonnées à ski, en patins ou en traîneaux sur la neige.

NEUF DE TRÈFLE (CHANCE): Le soleil brillera bientôt grâce à un coup de chance extraordinaire. Répétez chaque matin au lever: «J'ai de la chance d'être en vie», vous attirerez ainsi des vibrations positives autour de vous.

HUIT DE TRÈFLE (CONSÉCRATION): Bonheur. Vous aurez l'occasion d'apprécier l'entrain de vos collègues de travail.

SEPT DE TRÈFLE (MESSAGES): Vous aurez une discussion à propos d'un restaurant, d'une boîte de nuit; ou un message téléphonique pour l'achat d'un tel endroit. Discussion qui tourne autour d'un lieu très éclairé la nuit.

LES PIQUES

AS DE PIQUE (MORT): Vous aurez une discussion au sujet d'un défunt. Mais vous évoquerez des souvenirs agréables.

ROI DE PIQUE (VISITEUR): Cette maison du soleil s'adresse à tous les gens portant l'uniforme ou les fonctionnaires. Elle signale des changements constants, un peu comme le soleil qui apparaît et disparaît. Comme lui, vous semblez changer continuellement.

DAME DE PIQUE (GRATITUDE): Tard dans la soirée, vous retrouverez un objet que vous aviez égaré; ou quelqu'un vous appellera et vous éclairera sur un sujet quelconque. Conversation édifiante.

VALET DE PIQUE (ORIENTATION): Cette maison représente l'espace, la distance, etc. Gardez constamment votre esprit tourné vers des pensées positives, constructives. Les gros rires sarcastiques à propos d'un achat ou de n'importe quelle autre chose qu'une personne essaie de faire sont méprisables. Même si cela est fait à la blague, les vibrations qui en résultent sont désastreuses.

DIX DE PIQUE (SOLEIL): Votre étoile brillera très haut dans le firmament cette année, spécialement dans les négociations qui concernent le sol: terres, mines, pétrole, récoltes, etc.

NEUF DE PIQUE (DÉCEPTIONS et CONFLITS): Le soleil brillera malgré des retards. N'essayez pas d'activer les choses. Attendez et patientez, le temps est votre principal allié.

HUIT DE PIQUE (PROBLÈMES): Le soleil qui brillera bientôt dans votre vie vous fera oublier tous vos ennuis. Concentrez-vous sur des pensées joyeuses. Ne dites jamais: «Je ne pourrais pas y arriver.»

SEPT DE PIQUE (SANTÉ): Soleil et santé. Prenez des bains de soleil, soyez en harmonie avec la nature.

Rapportez-moi le chant; et la senteur
des prés à la première rosée;
Redonnez-moi mon cœur joyeux
Ô, vous, Esprit de l'été.
William Allingham (chanson)

LEÇON DE TÉLÉPATHIE MENTALE
D'UN VIEUX SAGE CHINOIS

Dans un avenir très rapproché, certaines gens vont se regrouper et seront en mesure d'émettre et de capter des messages à distance sans autre aide que la pensée. Le système émetteur-récepteur que nous avons tous est tout aussi bon, sinon meilleur, que la plus perfectionnée des radios mises sur le marché. Lorsque nous accepterons d'utiliser ce moyen de communication, le monde s'en portera mieux et la terre deviendra un endroit où il fera bon vivre puisque nous ne pourrons plus tricher ou mentir. Lorsque cette technique se sera enfin propagée, je pourrai alors affirmer que tous et chacun vivent en parfaite harmonie.

Les animaux, comparativement à nous, utilisent davantage leur sixième sens. Étant incapables de parler, ils ont développé ce sens que nous avons négligé mais que l'humanité devrait retrouver avec bonheur.

Nous entendons souvent dire autour de nous que telle personne a agi ou a posé des gestes en se référant à son intuition. Pourtant, l'intuition n'a rien à voir là-dedans! Cette personne se serait plutôt laissé guider par son sixième sens qui lui dictait indirectement la conduite à prendre. À d'autres moments, nous nous sentons irritables, comme à l'affût de quelque chose. Pourtant, même si notre vie en dépendait, nous ne pourrions pas dire pourquoi nous nous sentons comme cela. Si seulement nous essayions de nous détendre, nous pourrions immédiatement capter les messages qui nous sont envoyés. Mais au lieu de faire ce qui relève de l'évidence même, nous continuons à nous inquiéter jusqu'à ce que nous obtenions une confirmation tangible de ce qui s'est passé. Quand la télépathie sera reconnue comme partie intégrante de notre héritage, nous pourrons abolir les distances et les frontières.

LEÇON DE NUMÉROLOGIE
D'UN VIEUX SAGE CHINOIS

C'est en présentant ce nouveau système de cartomancie psychique qu'est le GHPT que j'ai découvert combien le grand public portait d'intérêt à toutes les sciences connexes, telles que l'astrologie, la numérologie et les concepts reliés à la théorie de la réincarnation. Pour répondre à ces demandes, j'inclus donc dans cette nouvelle édition une méthode basée sur ces sciences qui devrait enrichir les prédictions possibles du GHPT.

J'ai appris les bases de cette méthode durant mon séjour en Chine où je m'étais fait des amis parmi des familles de l'aristocratie intellectuelle chinoise qui ont eu la gentillesse de m'inviter à la plupart de leurs célébrations (mariages, baptêmes, funérailles, etc). C'est ainsi que je me suis familiarisée avec leurs coutumes et leurs croyances. Par exemple, c'est en assistant à des fiançailles que j'ai appris comment les mariages chinois étaient préparés par des marieurs dont le rôle était de trouver une épouse au jeune homme. Pour ce faire, le marieur se servait de ses connaissances en astrologie, en numérologie, en réincarnation et de ses pouvoirs psychiques. L'âge et le mois de naissance de la jeune fille devaient être en harmonie avec ceux du jeune homme. Les deux devaient être de même religion. Bien qu'il y ait de nombreuses religions ou croyances différentes en Chine, l'astrologie, la numérologie et la croyance en la réincarnation semblent y être uniformément acceptées.

J'ai étudié avec l'un des meilleurs marieurs chinois afin de comprendre les traditions sous-jacentes à leur art. Je vous donne ici l'essentiel de son enseignement.

Quel que soit le calcul, il peut se réduire aux neuf premiers nombres de un à neuf. Au-delà de ces nombres, tout est répétition. Quel que soit le total de la somme, il peut être réduit par addition naturelle à un seul chiffre. Les astrologues ont établi que toute vie sur cette terre est étroitement dépendante de la position dans le ciel des neuf autres planètes.

Selon une très ancienne théorie chinoise basée sur la numérologie, nous vivons chacun neuf vies complètes sur cette terre et dans cette réalité. Chacune de ces réincarnations a lieu dans un environnement différent et sous des influences astrologiques différentes.

On pourra se rappeler qu'il faut neuf mois de gestation pour que l'embryon devienne un être humain. Au même titre que la chair change constamment de forme par cycle, l'esprit, bien qu'invisible, va et vient comme les ondes éthériques. On nous accorde un nouveau corps, un nouvel environnement, une nouvelle famille et des influences astrologiques différentes, chaque fois que nous revenons sur terre. Il nous serait impossible de faire autant d'expériences différentes en une seule vie. Quand notre corps est trop fatigué, on nous le retire puisqu'il a fait son devoir et notre esprit se met au repos jusqu'à notre prochaine incarnation. Spirituellement, les liens familiaux peuvent être maintenus si on le veut ainsi et tandis que l'âme est en repos spirituel, elle peut guider et influencer les parents ou amis qui sont sur terre.

En Chine, le culte des ancêtres est sacré. «Aime ton voisin», y dit-on car il pourrait avoir été ta mère, ta sœur, ton frère ou ton ami dans une autre vie. Remarquez que ceci pourrait expliquer l'attirance que nous éprouvons à l'égard de certaines personnes à première vue ou l'impression très nette de connaître quelqu'un que nous rencontrons pour la première fois. Un sentiment de répulsion s'expliquerait de la même façon si une personne avait été notre ennemi dans une vie antérieure.

Il y a des âmes d'âges différents sur la terre. Si un esprit a fait ses débuts sur cette planète, il a de fait une âme très jeune. Généralement, un esprit qui en est à sa première vie sur cette terre et qui n'a jamais vécu dans un autre monde (planète) aura énormément plus de difficultés à exister qu'une plus vieille âme qui a derrière elle l'expérience de plusieurs vies sur cette planète ou sur une autre. Il est du devoir d'une plus vieille âme d'aider et de guider une plus jeune. Nul homme, qu'il ait été ou qu'il soit grand artiste, musicien, financier ou érudit n'a acquis ses connaissances en une seule vie. L'enfant prodige est une vieille âme qui arrive en naissant avec un acquis considérable accumulé au cours de ses vies antérieures. Une jeune âme peut acquérir une éducation universitaire, mais placez-la à la tête d'une grosse compagnie et vous la verrez échouer, car elle n'a pas l'expérience de ses vies antérieures pour faire face aux exigences de son poste. C'est pourquoi nous pouvons remarquer tant d'échecs dans la vie et rencontrer de merveilleuses jeunes âmes, superbement éduquées, travaillant à des postes subalternes, tandis que de vieilles âmes avec peu d'éducation formelle peuvent obtenir des postes stratégiques avec aisance.

Ce serait un monde bien injuste si nous ne pouvions y vivre qu'une seule fois. À quoi servirait alors de travailler, de souffrir et d'essayer de nous perfectionner si nous ne pouvions jamais jouir du fruit de nos efforts? Quel serait le sens d'avoir à vivre échec par-dessus échec si nous n'avons jamais eu l'occasion de vivre le succès?

De nombreux jeunes semblent indécis quant à leur orientation future et ont beaucoup de mal à choisir une carrière alors que d'autres s'engagent très tôt dans une profession ou un passe-temps qui les passionne. L'enfant qui cause des problèmes à ses parents a été trop dorloté ou trop brimé dans une vie antérieure; il est donc difficile pour lui de se fixer dans la vie présente. S'il a une jeune âme incarnée pour la première fois, il peut avoir de sérieuses difficultés à s'adapter à ce monde complexe qu'est le nôtre. Les vieilles âmes avec leurs connaissances ont tellement compliqué la vie de tous les jours que les jeunes âmes sont souvent dépassées et ont beaucoup de mal à trouver une profession qui leur convient. Elles se tournent donc souvent vers les travaux manuels les plus durs.

Les jeunes âmes se retrouvent autant dans des familles de la haute bourgeoisie que dans des familles démunies financièrement ou intellectuellement, au même titre que les génies ou les handicapés physiques et mentaux se retrouvent dans toutes les couches de la société.

On se demande souvent pourquoi des gens naissent avec des difformités. Selon mon professeur chinois, un corps maladif ou difforme est une expérience préparatoire, nécessaire à une prochaine réincarnation. Il arrive aussi qu'un enfant débile naisse d'une mère merveilleuse et dans une famille pleine d'amour. Cette expérience doit offrir aux parents de cet enfant les connaissances dont ils auront besoin dans une vie future. S'il n'y avait pas de «mauvais» dans le monde, nous ne saurions pas apprécier le «bon». Les handicapés sont relativement peu nombreux et sont ici pour nous apprendre à être reconnaissants d'avoir une bonne santé mentale et physique.

Souvent nous rencontrons une vieille âme toujours prête à aider les autres jusqu'à en oublier ses propres problèmes. Quelquefois, à la voir si pauvre, on la prendrait pour un aimable clochard. Les vieilles âmes ont eu tant de biens matériels et tant de succès mondains dans leurs vies antérieures qu'elles n'ont plus que faire des honneurs ou des richesses. Les sages chinois disent que si une personne vit plus que soixante-dix ans dans une de ses vies, c'est parce qu'une de ses vies précédentes a été écourtée ou que la prochaine le sera parce que le nombre total d'années passées sur terre est le même pour tout le monde. Ceci expliquerait la vie anormalement longue de certains et apparemment courte des autres.

COMMENT TROUVER L'ÂGE DE VOTRE ÂME
PAR LA NUMÉROLOGIE

La méthode que l'on m'a enseignée pour mesurer le temps est basé sur les douze mois du calendrier romain. Cette méthode n'a rien à voir avec les maisons ou les signes du zodiaque qu'on utilise habituellement en astrologie, mais repose sur notre calendrier annuel commençant par le premier mois: janvier.

Il n'existe en fait en tout que neuf chiffres sur terre, tous les autres chiffres supérieurs à neuf ne sont que des répétitions. Quelle que soit la somme totale, elle peut invariablement être réduite à un nombre égal ou inférieur à 9, par addition théosophique.

Pour déterminer l'âge de votre âme, inscrivez dans une colonne le numéro correspondant au mois (janvier: 1, février: 2, etc.), à la date et à l'année de votre naissance.

EXEMPLE:

Date de naissance: 23 janvier 1935

mois:	1
jour:	23
année:	1935
total:	1959

Placez maintenant ces chiffres en une seule colonne et additionnez:

	1
	9
	5
	9
total:	24

Faites la somme des chiffres du total:

2
4
6

La personne dont la date de naissance est le 23 janvier 1935 en est donc à sa sixième vie sur cette terre.

Après avoir évalué l'âge de votre âme par la numérologie, référez-vous à la section de l'astrologie et cherchez-y votre signe zodiacal. Étudiez les traits inhérents au signe qui vous concerne et tirez-en profit pour équilibrer harmonieusement votre vie en rapport avec votre héritage astrologique.

LEÇON D'ASTROLOGIE
D'UN MARIEUR CHINOIS

Tout Chinois qu'il soit riche ou pauvre utilise l'astrologie dans sa vie quotidienne. Mon maître chinois m'avait prédit en 1910 que le Japon serait en guerre avec la Chine. Il m'avait aussi prédit à quel point le monde serait bouleversé. J'aimerais pouvoir vous transmettre ici toutes les prophéties qu'il avait émises, mais je dois m'en abstenir.

Un horoscope exact est normalement basé sur la date de la naissance incluant l'heure et le lieu. (Je ne tiens à donner ici qu'une idée générale au lecteur qui pourra, s'il est intéressé, consulter des manuels plus complets.) Mais j'insiste pour dire que l'âge de l'âme telle qu'elle a été évaluée précédemment a une importance capitale sur l'interprétation de l'horoscope.

On est souvent impressionné en lisant dans les horoscopes des descriptions aussi justes de nos aptitudes et de nos traits de caractère et on se demande pourquoi on ne peut pas toujours réussir à atteindre les buts pour lesquels nous semblions destiné. Par exemple, on entendra quelqu'un dire: «Les étoiles me disent que je devrais être un grand poète, j'aime la poésie par-dessus tout, mais je ne peux pas écrire un seul vers.» Ceci est dû au fait que cette personne est une jeune âme. Ses aspirations sont bien ancrées mais son âme n'a pas assez d'expérience encore pour atteindre son but. Pourtant, en lisant de la poésie comme elle le fait, elle se prépare éventuellement à atteindre le sommet de ses ambitions.

Vous pourriez dire: «Si mes traits de caractère, mon environnement et les conditions de ma vie sont prédéterminés par les étoiles sous lesquelles je suis né, à quoi sert alors d'essayer quoi que ce soit? Je ne peux pas changer les étoiles.» C'est vrai que l'on ne peut pas changer les lois de la nature mais on peut s'en servir. L'univers entier, de la plus petite fleur à l'étoile la plus éloignée, est gouverné par des lois naturelles que nous ne pouvons pas changer. Mais il y a une autre vérité que nous devons aussi prendre en considération et c'est la nature de l'être humain. Ce qui distingue l'homme de tous les autres animaux sur la terre, c'est son désir et son pouvoir d'acquérir des connaissances. Par sa compréhension des lois naturelles, il est capable de les utiliser à son profit. Ainsi, si je laisse échapper un vase de mes mains, la loi de la pesanteur l'entraînera vers le sol et il pourrait alors se briser à moins de le rattraper avant sa chute.

Je n'aurais en aucune façon enfreint les lois de la pesanteur, mais ma connaissance de cette loi m'a fait prévoir ses conséquences naturelles et donc j'ai pu éviter la catastrophe.

La connaissance des influences qui gouvernent notre destinée peut nous servir à planifier notre vie. Si nous savons que certaines conditions ou tendances prévalent durant certaines phases de notre vie, nous pouvons profiter avantageusement de ces conditions favorables et rester sur nos gardes contre celles qui sont défavorables.

Les personnes nées à la même date – allant même jusqu'à la minute près – et au même lieu ont des destins souvent très différents. Ceci peut s'expliquer si l'on considère l'âge respectif de leur âme. Certaines sont déjà nées une ou plusieurs fois sous les mêmes influences et ont donc développé les caractéristiques du signe à un plus haut degré. Les expériences d'une vie s'accumulent dans les prochaines à la manière d'une note de musique qui existe sous différents octaves et toujours dans la même clé. Nous sommes partie intégrante d'un système harmonieux, c'est pourquoi des pensées et des actions harmonieuses sont la clé absolue du succès.

De nos jours, certains éducateurs, dans les écoles, se servent des jouets avec lesquels les enfants jouent comme objet d'étude afin de les diriger adéquatement vers une carrière faite pour eux. En se servant de l'horoscope individuel des enfants, ils sauraient d'emblée quels jouets leur donner afin de développer leurs talents naturels.

Tout parent devrait savoir que chaque enfant placé sous sa tutelle est là pour se perfectionner et pour donner l'occasion à l'âme du parent de progresser. On doit prendre note, à la minute près, de l'heure de naissance de l'enfant et établir sa carte du ciel afin de pouvoir mieux le guider dans son développement. Cela aiderait aussi à mieux comprendre l'enfant et éviterait bien des conflits entre les parents et leurs rejetons.

Une personne naît sous différentes influences à chaque incarnation. En général, un être bien équilibré sera dans sa septième, huitième ou neuvième vies un grand voyageur. Il sera versé dans la connaissance de plusieurs disciplines. Il apprendra facilement, retiendra ce qu'il apprend et deviendra en principe un puissant personnage où qu'il se trouve. L'aura ou la lumière qui se dégage d'un tel individu est très prononcée. Nous pouvons ressentir l'effet de cette puissante aura dès que nous rencontrons ce genre de personne.

Chaque maison ou signe du zodiaque est divisée en trois périodes qui couvrent approximativement dix jours chacune. Par exemple, la première période de la deuxième maison, TAUREAU, s'étend du 21 avril au 2 mai et est encore sous l'influence marquée de la première maison, BÉLIER. Plus la date de naissance est rapprochée du 21 avril, plus les caractéristiques qui régissent la maison du BÉLIER se feront sentir. Ceux nés durant le premier décan de leur signe peuvent atteindre les plus hauts sommets de réussite s'ils décident de s'y appliquer et de développer leurs aptitudes parce qu'ils ont l'influence des deux signes pour les aider, mais ils doivent aussi prendre garde aux influences négatives des deux signes.

Ceux nés entre le 2 et le 10 de chaque mois reçoivent des influences moins marquées de leur signe et ceux nés entre le 11 et la corne de leur signe reçoivent ses influences les plus fortes.

Mon professeur m'a enseigné que seules les étoiles guident notre destin comme une lampe nous éclaire sur une route obscure. Mais la lampe peut bien briller de tous ses feux, on ne verra rien si on ferme les yeux.

Les étoiles déterminent votre caractère, mais il vous appartient de découvrir votre voie. Si vous vous appliquez à faire de votre mieux durant votre vie présente, la prochaine n'en sera que plus facile, cependant, l'inverse est vrai aussi... C'est ce qu'on appelle la loi du karma.

Apprenez à vous connaître à partir de votre signe zodiacal et de l'âge de votre âme et sachez tirer le meilleur parti de ce que vous prédisent les étoiles. Celui qui ne fait rien échoue. Donc, agissez!

Par ailleurs, en ce qui concerne le mariage, il importe de choisir un partenaire né sous un signe zodiacal qui s'harmonise au vôtre. Les mariages les plus réussis et les plus durables unissent généralement des êtres dont le signe et l'âge de l'âme sont semblables.

Bien que mon âme soit dans la noirceur,
elle s'élèvera dans une parfaite lumière.
J'ai trop aimé les étoiles pour craindre la nuit.

Inconnu

LE BÉLIER

DU 22 MARS AU 20 AVRIL

Régi par Mars. Première maison du zodiaque (Feu).

Les natifs du Bélier ont une forte personnalité et des aptitudes à gérer. Ils sont ambitieux, travailleurs, généreux et idéalistes. Ils adorent commencer beaucoup de projets mais ont de la difficulté à les terminer. Ils ont tendance à être entêtés.

MARIAGE: Leur partenaire devrait être un Bélier, un Lion ou un Sagittaire.

SANTÉ: Attention aux blessures à la tête, aux maladies de l'estomac et des reins. Tendances à la paralysie et à l'apoplexie.

PIERRE DE NAISSANCE: Saphir, sinon portez un diamant qui symbolise la pureté et donne de la force.

CARRIÈRES ET PROFESSIONS:

Âges de l'âme: 1, 2 ou 3

Militaire	Marin
Officier de police	Pompier
Serveur	Préposé à l'entretien
Directeur d'école	Directeur de maternelle
Caissier	Contremaître

Âges de l'âme: 4, 5 ou 6

Mécanicien	Technicien en électronique
Dentiste	Capitaine (dans l'armée)
Postier	Gérant
Tailleur	Assistant dentaire
Secrétaire	

Âges de l'âme: 7, 8 ou 9

Chimiste	Médecin
Cadre	Banquier
Musicien	Chanteur
Fleuriste	Commerçant

LE TAUREAU

DU 21 AVRIL AU 21 MAI

Régi par Vénus. Deuxième maison du zodiaque (Terre).

Les natifs du Taureau sont calmes et ont une excellente maîtrise sur eux-mêmes. Ils aiment leur foyer, les enfants et se complaisent dans le confort. Ils sont tranquilles mais puissants, ne sont pas très expansifs mais sont de loyaux amis. Ils manquent de romantisme mais font des conjoints fidèles et des parents affectueux.

MARIAGE: Ils devraient choisir des natifs du Taureau, de la Vierge ou du Capricorne.

SANTÉ: Risques d'hydropisie, de maladies des reins, de la gorge et des organes génitaux. Évitez les graisses, le vin et, en général, toute nourriture indigeste.

PIERRE DE NAISSANCE: Émeraude, sinon portez un diamant, symbole de pureté et de force.

CARRIÈRES ET PROFESSIONS:

Âges de l'âme: 1, 2 ou 3

Fermier	Producteur laitier
Bûcheron	Éleveur de poulets
Éleveur de chiens	Père ou mère de famille

Âges de l'âme: 4, 5 ou 6

Opérateur de moulin à grains	Grossiste en sucre ou farine
Courtier en grains et semences	Marchand
Pompiste	Opérateur d'usine de conserves
Courtier en vins	Marchand de fruits et légumes
Fleuriste	Courtier en fruits et légumes

Âges de l'âme: 7, 8 ou 9

Propriétaire terrien	Mineur
Potier	Travailleur du textile
Infirmière	Fromager
Opérateur de raffinerie	Cuisinier
Maraîcher	

LES GÉMEAUX

DU 22 MAI AU 21 JUIN

Régi par Mercure. Troisième maison du zodiaque (Air).

Les natifs des Gémeaux (jumeaux) sont souvent déchirés par deux tendances opposées de leur caractère. Ils sont changeants mais charmants et souvent brillants. Ils sont plus heureux dans une profession qui exige beaucoup de leurs facultés mentales. Ils sont enclins à gaspiller leurs forces et devraient développer leurs aptitudes à se concentrer.

MARIAGE: Avec un autre Gémeaux, une Balance ou une Vierge.

SANTÉ: Risques de maladies pulmonaires, d'infections sanguines et d'opérations à l'abdomen.

PIERRE DE NAISSANCE: Agate, sinon portez un diamant, symbole de pureté et de force.

CARRIÈRES ET PROFESSIONS:

Âges de l'âme: 1, 2 ou 3

Restaurateur	Gérant d'hôtel
Caissier (de banque)	Serveur en chef
Caissier	Diététicien
Téléphoniste	Esthéticien
Préposé dans une agence de placement	

Âges de l'âme: 4, 5 ou 6

Représentant	Directeur des représentants
Musicien	Danseur
Secrétaire	Commis à la tenue de livres
Commis	Enseignant

Âges de l'âme: 7, 8 ou 9

Artiste	Financier
Chimiste	Médecin
Musicien	Publiciste
Professeur de langues	Professeur de danse

LE CANCER

DU 22 JUIN AU 23 JUILLET

Régi par la lune. Quatrième maison du zodiaque (Eau).

Les natifs du Cancer sont des gens hypersensibles, portés à s'inquiéter. Quand ils peuvent maîtriser leur sensibilité, ils deviennent très adaptables et charmants. S'ils ne la maîtrisent pas, ils se donnent à l'introspection, allant même jusqu'à la morbidité. Les natifs du Cancer ne sont touchés que par la douceur et l'amour et ne peuvent être dirigés par la force. Ils sont loyaux dans leurs liens affectifs.

MARIAGE: En affaires ou en amour, ils devraient choisir des partenaires de leur signe, des natifs du Scorpion ou des Poissons.

SANTÉ: Se garder du rhumatisme, de la goutte, d'une mauvaise circulation et des maladies pulmonaires.

PIERRE DE NAISSANCE: Rubis, sinon portez un diamant comme symbole de pureté et de force.

CARRIÈRES ET PROFESSIONS:

Âges de l'âme: 1, 2 ou 3

Débardeur	Chef cuisinier
Pêcheur	Facteur
Vendeur	Opérateur d'ascenseurs
Téléphoniste	Commis

Âges de l'âme: 4, 5 ou 6

Vendeur	Conducteur
Employé de chemin de fer	Conducteur de camions
Commis à la facturation	Chronométreur
Père ou mère de famille	Embouteilleurs

Âges de l'âme: 7, 8 ou 9

Importateur	Agent de voyage
Employé naval	Répartiteur (en transports)
Fabricant d'eau-de-vie	Parfumeur
Courtier en vins	Cosméticien
Laitier	

LE LION

DU 24 JUILLET AU 23 AOÛT

Régi par le Soleil. Cinquième maison du zodiaque (Feu).

Les natifs du Lion sont des chefs nés, des travailleurs énergiques et charismatiques. Ils aiment le pouvoir et l'autorité. S'ils ne savent pas se maîtriser, ils ont tendance à devenir dominateurs. Ils sont cependant généreux, loyaux et rarement rancuniers. Ils ont un grand désir d'être admirés et souvent ils méritent de l'être.

MARIAGE: Leur meilleur partenaire sera un natif du Lion, du Sagittaire ou du Bélier.

SANTÉ: Risques de maladies du foie, de la rate et du cœur.
Il y a aussi possibilité de rhumatisme.

PIERRE DE NAISSANCE: Sardoine, sinon portez un diamant, symbole de pureté et de force.

CARRIÈRES ET PROFESSIONS:

Âges de l'âme: 1, 2 ou 3

Mineur	Plombier
Menuisier	Plâtrier
Employé de buanderie	Éleveur d'animaux domestiques
Puéricultrice	Maçon

Âges de l'âme: 4, 5 ou 6

Superviseur	Capitaine (dans l'armée)
Enseignant	Représentant des ventes
Infirmière	Secrétaire
Esthéticien	

Âges de l'âme: 7, 8 ou 9

Mineur	Courtier en grains
Directeur de bureau	Manufacturier de chaussures
Fabricant de valises	Fleuriste
Directeur d'hôpital	Écrivain
Infirmière en chef	Directeur d'école

LA VIERGE

DU 24 AOÛT AU 23 SEPTEMBRE

Régi par Mercure. Sixième maison du zodiaque (Terre).

Les natifs de la Vierge sont des intellectuels plutôt que des émotifs. Ils sont inventifs, analytiques et critiques. De fait, ils peuvent même aller jusqu'à trop critiquer les autres comme eux-mêmes. Ils sont polyvalents, beaux-parleurs et prompts à la répartie. Ils travaillent sans compter pour les autres mais ont besoin de cultiver la tolérance.

MARIAGE: Leur partenaire devrait être choisi parmi les autres natifs de la Vierge, du Capricorne ou du Taureau.

SANTÉ: Risques d'ulcères, de maladies de l'estomac et du système nerveux.

PIERRE DE NAISSANCE: Chrysolite, sinon portez un diamant, symbole de pureté et de force.

CARRIÈRES ET PROFESSIONS:

Âges de l'âme: 1, 2 ou 3

Préposé à la tenue de livres	Commis de banque
Secrétaire	Préposé à l'expédition

Âges de l'âme: 4, 5 ou 6

Greffier	Agent immobilier
Entrepreneur	Dessinateur
Commis	Sténographe à la cour
Comptable	Designer

Âges de l'âme: 7, 8 ou 9

Avocat	Commis
Écrivain	Professeur de langues
Professeur de français	Juge
Propriétaire d'une firme en immobilier	

LA BALANCE

LE SCORPION

DU 24 SEPTEMBRE AU 23 OCTOBRE

Régi par Vénus. Septième maison du zodiaque (Air).

Les natifs de la Balance admirent la beauté. Ils détestent les combines, les déceptions, la vulgarité et la brutalité non parce que c'est immoral, mais parce que c'est laid. Honnêtes, généreux, sociables, ce sont de charmants compagnons. Ils hésitent à assumer les responsabilités du mariage mais sont loyaux dans leurs liens affectifs.

MARIAGE: Leurs meilleurs partenaires seront natifs de la Balance, des Gémeaux ou du Verseau.

SANTÉ: Risques de maladies d'estomac, des reins, des nerfs et de la peau.

PIERRE DE NAISSANCE: Opale, sinon portez un diamant, symbole de pureté et de force.

CARRIÈRES ET PROFESSIONS:

Âges de l'âme: 1, 2 ou 3

Horticulteur	Électricien
Peintre	Menuisier
Mécanicien	Tailleur
Décorateur	Fleuriste
Père ou mère de famille	Vendeur

Âges de l'âme: 4, 5 ou 6

Chef mécanicien	Architecte
Décorateur	Musicien
Couturier	Professeur de musique
Manufacturier	Propriétaire de galeries d'art

Âges de l'âme: 7, 8 ou 9

Médecin	Sculpteur
Producteur de théâtre	Critique d'art
Écrivain	Acteur
Artiste	

DU 24 OCTOBRE AU 22 NOVEMBRE

Régi par Mars. Huitième maison du zodiaque (Eau).

Les natifs du Scorpion ont pour caractéristiques leur allant à surmonter tous les obstacles. Ils sont capables de se donner passionnément à une cause ou à une personne. Ils doivent se garder des excès en amour. Ils sont rusés, analytiques et forts, mais pourtant subtils. Ils devraient essayer de comprendre que tout le monde n'est pas comme eux.

MARIAGE: Leurs meilleurs partenaires seront d'autres natifs du Scorpion, du Cancer ou des Poissons.

SANTÉ: Risques de déséquilibres glandulaires, de fistules, de maladies du gros intestin et des organes génitaux.

PIERRE DE NAISSANCE: Topaze, sinon portez un diamant, symbole de pureté et de force.

CARRIÈRES ET PROFESSIONS:

Âges de l'âme: 1, 2 ou 3

Dessinateur	Détaillant de produits divers
Évaluateur en camionnage	Évaluateur en importation
Évaluateur en inventaires	Designer
Professeur de musique	Enseignant
Infirmier	

Âges de l'âme: 4, 5 ou 6

Avocat	Chimiste
Annonceur	Fabricant d'eau-de-vie
Écrivain	Parfumeur
Décorateur	

Âges de l'âme: 7, 8 ou 9

Distillateur	Pharmacien
Éditeur	Publiciste
Aventurier	Acteur
Écrivain	Chanteur
Compositeur	

LE SAGITTAIRE

DU 23 NOVEMBRE AU 22 DÉCEMBRE

Régi par Jupiter. Neuvième maison du zodiaque (Feu).

Les natifs du Sagittaire sont honnêtes, téméraires et altruistes. Ils ont beaucoup d'intuition et sont francs et directs avec les autres au point d'en être brutaux. En matière de cœur, cela leur paraît tellement fastidieux qu'ils semblent parfois très froids. Si on les comprend, on peut les apprécier à leur juste valeur et ils font alors d'excellents partenaires d'affaires ou de bons compagnons de vie commune.

MARIAGE: Ils devraient s'allier avec d'autres natifs du Sagittaire, du Lion ou du Bélier.

SANTÉ: Attention aux rhumes, aux bronchites et aux maladies du foie et du sang.

PIERRE DE NAISSANCE: Turquoise, sinon portez un diamant, symbole de pureté et de force.

CARRIÈRES ET PROFESSIONS:

Âges de l'âme: 1, 2 ou 3

Aspirant-prêtre	Lecteur de nouvelles
Communicateur (radio, télé, etc.)	Essayiste
Chanteur	Technicien de laboratoire

Âges de l'âme: 4, 5 ou 6

Mécanicien de machinerie lourde	Constructeur de machinerie lourde
Inventeur	Conférencier
Écrivain	Prédicateur
Prêtre ou pasteur	Acteur
Musicien	

Âges de l'âme: 7, 8 ou 9

Voyageur et conférencier	Aventurier
Philanthrope	Journaliste
Éditeur de revues	Reporter
Écrivains spirituels ou religieux	Guérisseur
Directeur d'institution carcérale	Éditeur de livres spirituels ou religieux

LE CAPRICORNE

DU 23 DÉCEMBRE AU 20 JANVIER

Régi par Saturne. Dixième maison du zodiaque (Terre).

Les natifs du Capricorne se distinguent par leur ambition et leur ténacité. Selon leurs critères, ils s'accrocheront à leur but jusqu'à la réussite totale. Ce sont de rudes travailleurs, indépendants et dotés d'un esprit pratique. Ils ont beaucoup de charisme mais sont très timides en matière de cœur. Un Capricorne ne deviendra amoureux que s'il est sûr qu'on l'aimera en retour.

MARIAGE: Leur partenaire idéal sera un autre natif du Capricorne, du Taureau ou de la Vierge.

SANTÉ: Risques d'ulcères, de maladies des reins, de la vésicule biliaire et du système digestif.

PIERRE DE NAISSANCE: Grenat, sinon portez un diamant, symbole de pureté et de force.

CARRIÈRES ET PROFESSIONS:

Âges de l'âme: 1, 2 ou 3

Vendeur	Cadre organisationnel
Marchand	Gérant de rayon
Manufacturier	Acheteur

Âges de l'âme: 4, 5 ou 6

Instituteur	Préposé à la tenue de livres
Commis de banque	Professeur de musique
Secrétaire	Chimiste

Âges de l'âme: 7, 8 ou 9

Annonceur publicitaire	Médecin
Orateur	Avocat
Prédicateur	

LE VERSEAU

DU 21 JANVIER AU 19 FÉVRIER

Régi par Uranus. Onzième maison du zodiaque (Air).

Les natifs du Verseau sont des gens tranquilles, réservés, modestes et altruistes. Ils se donnent sans compter pour le bien des autres. Ils regardent la vie avec détachement, mais sont des amis loyaux. Ils sont doux et peuvent facilement devenir célèbres. Ces natifs ont une attitude mentale qui leur donne du pouvoir sur les aléas de la vie et ils devraient se baser sur leur propre bon sens plutôt que sur celui des autres.

MARIAGE: Leur meilleur compagnon sera un natif du Verseau, du Gémeaux ou de la Balance.

SANTÉ: Risques de souffrir de mauvaise circulation sanguine, d'anémie, de problèmes cardiaques et de maladies de la vessie et des reins.

PIERRE DE NAISSANCE: Améthyste, sinon portez un diamant, symbole de pureté et de force.

CARRIÈRES ET PROFESSIONS:

Âges de l'âme: 1, 2 ou 3

Préposé à la livraison	Boucher
Boulanger	Coiffeur
Infirmier	Chef cuisinier
Esthéticien	

Âges de l'âme: 4, 5 ou 6

Écrivain	Médecin
Technicien de laboratoire	Chimiste
Dentiste	

Âges de l'âme: 7, 8 ou 9

Dirigeant d'entreprise	Organisateur
Entrepreneur	Dentiste
Médecin	Avocat

LES POISSONS

DU 20 FÉVRIER AU 21 MARS

Régi par Jupiter et Neptune. Douzième maison du zodiaque (Eau).

Les natifs des Poissons ont la possibilité de devenir très populaires. Ils sont généreux et sociables. Perspicaces et ambitieux, ils sont toutefois désavantagés par leur indécision. Ils devraient s'habituer à peser le pour et le contre d'une situation, choisir un plan d'action et ne pas en démordre quels que soient les obstacles qu'ils rencontrent.

MARIAGE: Leur partenaire idéal sera un autre natif des Poissons, du Cancer ou du Scorpion.

SANTÉ: Risques de désordres nerveux ou pulmonaires, de tumeurs et de paralysie.

PIERRE DE NAISSANCE: Sanguine ou un diamant, symbole de pureté et de force.

CARRIÈRES ET PROFESSIONS:

Âges de l'âme: 1, 2 ou 3

Maçon	Charpentier
Machiniste	Électricien
Designer	Tailleur
Fabricant de chaussures	Coupeur
Ajusteur (dans les vêtements)	

Âges de l'âme: 4, 5 ou 6

Producteur de théâtre	Annonceur publicitaire
Constructeur	Architecte
Directeur de troupe de danse	Acteur
Écrivain	Décorateur

Âges de l'âme: 7, 8 ou 9

Constructeur de gros objets	Employé de théâtre (tout genre)
Musicien	Acteur
Chanteur	Personne rattachée aux arts (toute forme)